NEUF ÉTUDES
SUR LE THÉÂTRE MÉDIÉVAL

UNIVERSITÉ DE LAUSANNE
PUBLICATIONS DE LA FACULTÉ DES LETTRES
XIX

PAUL AEBISCHER

NEUF ÉTUDES
SUR LE
THÉÂTRE MÉDIÉVAL

GENÈVE

LIBRAIRIE DROZ S. A.

11, rue Massot

1972

AVANT-PROPOS

La vingtaine d'études qu'au cours de ma vie j'ai écrites sur le théâtre du Moyen Age ne sont pas dues, je l'avoue franchement, à l'amour considéré, au dire des dictionnaires, comme un sentiment par lequel le cœur se porte vers ce qui lui plaît fortement, mais plus prosaïquement au hasard, ou mieux à une suite de hasards dont j'ai été la victime et le bénéficiaire.

Ces hasards, les voici. Le premier, le plus important et le plus déterminant, s'est offert à moi au printemps 1920 — il me semble que c'était vers le 20 mai —, alors que je procédais à des enquêtes approfondies dans les trésors des Archives de l'Etat de Fribourg, en vue d'y recueillir des matériaux pour une thèse de doctorat que je préparais sur les origines et la formation des noms de famille fribourgeois, enquêtes effectuées avant tout dans les terriers, les « grosses » comme on dit à Fribourg. Je savais, grâce à quelques articles de la « Romania » entre autres, que les reliures médiévales pouvaient recéler des richesses insoupçonnées: aussi, chaque fois que je manipulais un de ces volumes, je ne manquais pas d'en scruter les couvertures. Ma constance fut récompensée, puisque, en examinant le terrier N° 22 du bailliage de Saint-Aubin en Vully, compilé au début du XVIᵉ siècle, je constatai que sa reliure était formée d'un carton assez craquelé pour laisser entrevoir, et des fragments manuscrits, et des rognures d'imprimés gothiques. Des vers, et presque tous dramatiques ou comiques. Je fis part immédiatement de ma découverte à l'archiviste d'Etat, qui m'accorda sans difficulté l'autorisation de procéder à une autopsie complète : et c'est ainsi que revirent le jour une centaine de fragments d'intérêt et de contenu très divers. Le relieur, en effet, avait utilisé des bouts de comptes de Grandclaude Tuppin, forgeron et marchand de fer à Estavayer, des essais poétiques d'un sauteruisseau qui écrivait des vers qui sentaient la chanson populaire à plein nez, tels ceux-ci :

> Rossignolet du boes joly,
> Va ver ma miaz, se luy dy

Poème qui du reste s'arrêtait là: la muse familière de notre notaire en herbe avait sans doute le vol court, puisque nous ne saurons jamais quelle était la teneur du message que devait transmettre le rossignolet, ni à plus forte raison la réponse qui devait suivre. Toutes les hypothèses sont donc permises à ce propos.

Mais là ne s'arrêtaient pas mes découvertes. Il y avait aussi seize fragments de farces écrites en franco-provençal — les plus anciens témoignages de cette langue pour la Suisse romande —, trois farces françaises presque complètes, une manuscrite et deux imprimées ; il y avait encore une série de débris de moralités, de farces, de mystères, datant de la seconde moitié du XVᵉ siècle. Si bien que, rempli d'une joie compréhensible, je plantai là mes recherches d'onomastique, pour me dédier à la publication de ces trésors ensevelis depuis quatre siècles.

Quelques années plus tard, Florence étant devenue pour moi une sorte de seconde patrie, j'y fréquentais assidûment tant la Bibliothèque nationale que la Riccardienne et la Laurentienne. C'est dans cette dernière que mon attention fut attirée par deux manuscrits du fonds Ashburnham contenant diverses pièces de théâtre inédites, jouées en Avignon aux alentours de 1470. Comment ces textes finirent à Florence ? Ce fut grâce à Libri, le célèbre collectionneur et voleur. Guglielmo Icilio Timoleone Carrucci della Sommaia, qui se parait du titre de comte — on a toujours été de manche très large, en Italie, en ce qui a trait à l'usage des titres nobiliaires —, bibliophile et mathématicien de valeur, grand et bel homme tirant sur le roux, d'une extrême distinction et d'une intelligence hors pair, plein de charme et d'entregent, montrait pour les livres et surtout pour les manuscrits un penchant qui n'avait qu'un défaut, celui de se satisfaire par le pillage des bibliothèques et des fonds d'archives. Emigré à Paris et naturalisé Français, suppléant au Collège de France et professeur à la Sorbonne, membre aussi de l'Académie des sciences, il s'était fait confier l'inspection, à titre de mission, de toutes les bibliothèques et de tous les dépôts d'archives de France. Sans doute travailla-t-il à la Mazarine, à la Nationale, à la Bibliothèque de l'Institut. Mais il usait surtout de son autorité et de son charme pour suborner les conservateurs de collections locales, lesquels s'empressaient de lui accorder toutes les facilités pour ses inspections, dont il profitait pour opérer à son usage personnel des prélèvements que la morale réprouvait. Il exagéra, et on le condamna en 1850 à dix années de détention. Ses déprédations dûment lavées, grattées et reliées en style moyenâgeux, et qui avaient eu pour théâtre tant l'Italie que la France, lui permirent d'effectuer, en Angleterre surtout, des ventes mémorables et fructueuses, un de ses meilleurs clients ayant été lord Ashburnham. Si bien que lorsque les gouvernements français et italien réussirent à récupérer les richesses volées, il fut impossible de déterminer exactement leur provenance, et l'on se contenta de les remettre, partie à la Bibliothèque Nationale de Paris, partie à la Laurenziana de Florence, où elle constitua le fonds Ashburnham.

Felix culpa, tout bien considéré. Car que seraient devenus, au cours des ans, la plupart des manuscrits volés à Carpentras, à Avignon, à Troyes et ailleurs ? N'auraient-ils pas couru le risque de périr d'humidité et de moisissure, ou, pour les parchemins, de finir comme tant d'autres découpés en rond, pour recouvrir les pots de confiture ou de saindoux ?

Quelques années plus tard encore — c'était en décembre 1948 — je me trouvai, par hasard naturellement, la veille de Noël à Palma de Majorque. Sur les conseils de mon savant ami Moll, à qui l'on est redevable de cette œuvre magnifique qu'est le Diccionari català - valencià - balear, j'assistai à la messe de minuit célébrée dans la cathédrale. Inutile que je décrive ce spectacle — je le ferai dans la première des études qui vont suivre — : le fait est que, sitôt de retour à Barcelone, je m'en fus à la Biblioteca Central, où je procédai sans perdre une minute aux lectures et aux recherches nécessaires pour donner à ce spectacle auquel j'avais assisté sa vraie valeur : celle d'avoir conservé, à travers les siècles, une trace des origines du théâtre religieux.

Enfin vinrent les sollicitations valaisannes de M. André Donnet. Au cours de classements de fonds, surtout privés, effectués par lui aux Archives cantonales de Sion, il lui arriva plus d'une fois de mettre la main sur des textes en langue vulgaire, manuscrits ou imprimés, qu'il voulut bien me demander d'examiner, d'identifier et de présenter au public savant, ce que je fis de mon mieux, passant de la gastronomie au théâtre, du roman aux poésies inconnues. Qu'il me suffise de mentionner ici le Gouvert d'Humanité de Jehan d'Abondance, ainsi qu'un précieux fragment d'un rôle de farce dont je traiterai plus loin.

Pour donner un corps au présent recueil, il m'a fallu résoudre un problème technique. Comment republier mes différentes études ? Fallait-il les réimprimer telles quelles ou bien les amalgamer lorsqu'elles traitaient du même sujet ou à peu près ? Fallait-il en compléter le texte ? Tout bien pesé, je suis intervenu le moins possible. C'est pourquoi on trouvera, l'un suivant l'autre, mes deux articles sur le Cant de la Sibil·la ; c'est pourquoi les trois articles relatifs au théâtre de la fin du Moyen Age dans ce qui fait aujourd'hui la Suisse romande se suivent de façon à former un tout, non exempt de quelque répétition, ce dont je demande pardon au bénévole lecteur. Je n'y ai ajouté que quelques lignes se rapportant au théâtre à Fribourg au XVᵉ siècle. Là par contre où je n'ai pas hésité à procéder à quelques adjonctions, c'est à propos du Mystère de Saint Bernard de Menthon.

D'autre part, j'ai cherché aussi à donner à ces articles une suite logique. J'avais le choix entre l'ordre chronologique et l'ordre géographique : j'ai combiné l'un avec l'autre, en partant de l'Espagne, et plus précisément des Baléares et de la Catalogne, pour passer ensuite dans la vallée du Rhône, où je me suis arrêté à Avignon, en Savoie, puis dans le Valais, dans la Vallée d'Aoste et finalement chez nous.

Si j'ai cru bien faire en réimprimant les études qui suivent, c'est que nombre d'entre elles ont paru dans des recueils ou des revues malaisément accessibles. Loin de moi la pensée de dénigrer les « Annales d'Avignon et du Comtat Venaissin » ou l'« Augusta Praetoria » qui plus d'une fois m'ont accordé une hospitalité dont je leur sais gré : mais on conviendra qu'elles n'ont qu'une diffusion restreinte, et qu'elles ne sont guère pratiquées par les historiens du théâtre.

Il ne me reste plus que le plus agréable des devoirs, celui de remercier mes collègues de la Faculté des Lettres de Lausanne d'avoir bien voulu accepter le présent recueil dans leurs « Publications ». Ce merci vient du fond du cœur. C'est avec eux, ou avec leurs prédécesseurs qui furent fréquemment leurs maîtres, que j'ai passé plus de la moitié de ma vie : et je songe souvent à ces longues mais brèves années où, dans le calme de mon enseignement, j'ai pu papillonner de l'onomastique à la toponymie, de l'histoire au folklore, du théâtre au latin du Moyen Age, des sagas norroises aux chansons de geste françaises. La Patria Vuaudi a été pour moi bénéfique et bénévole, et je lui en rends grâce avec émotion.

Paul AEBISCHER.

BIBLIOGRAPHIE DES TRAVAUX DE L'AUTEUR RELATIFS AU THÉATRE DU MOYEN AGE

1. *Quelques textes en patois fribourgeois,* Première partie, in *Archivum romanicum,* IV (1920), pp. 342-361.

2. *Id.,* Deuxième partie, in *Archivum romanicum,* VII (1923), pp. 288-336.

3. *Trois farces françaises inédites trouvées à Fribourg,* in *Revue du XVIe siècle,* XI (1924), pp. 129-192. Tirage à part mis dans le commerce sous le même titre, Paris, Champion, 1924, 64 pages.

4. *Fragments de moralités, farces et mystères retrouvés à Fribourg,* in *Romania,* LI (1925), pp. 511-527.

5. *Une œuvre littéraire valdôtaine ? Le « Mystère de saint Bernard de Menthon »,* in *Augusta Praetoria,* VII (1925), pp. 49-61.

6. *Trois farces du XVe siècle,* Fribourg, Société de bibliophiles « L'Arbre Sec », 1928, 93 pages.

7. *Jazme Oliou, versificateur et auteur dramatique avignonais du XVe siècle,* in *Annales d'Avignon et du Comtat Venaissin,* XIV (1928), pp. 49-79.

8. *Moralités et farces des manuscrits Laurenziana-Ashburham nos 115 et 116,* in *Archivum romanicum,* XIII (1929), pp. 448-518.

9. *Une moralité de Monseur sant Nicholas,* Fribourg, Société de bibliophiles « L'Arbre Sec », 1930, XVII + 38 pages.

10. *Le miracle des trois clercs ressuscités par Saint Nicolas,* in *Archivum romanicum,* XV (1931), pp. 383-399.

11. *Le lieu d'origine et la date des fragments de farces en franco-provençal,* in *Archivum romanicum,* XV (1931), pp. 512-540.

12. *Un Miracle de saint Nicolas représenté en Avignon vers 1470,* in *Annales d'Avignon et du Comtat Venaissin,* XVIII (1932), pp. 5-40.

13. *L'auteur probable des farces en franco-provençal jouées à Vevey vers 1520,* in *Archivum romanicum,* XVII (1933), pp. 83-92.

14. *Le théâtre dans le Pays de Vaud à la fin du Moyen Age,* in *Recueil de travaux publiés par la Faculté des Lettres à l'occasion du quatrième centenaire de l'Université de Lausanne,* Lausanne, 1936, pp. 113-126.

15. *Un ultime écho de la Procession des Prophètes : Le « Cant de la Sibil·la »* de la nuit de Noël à Majorque, in *Mélanges d'histoire du théâtre du Moyen Age et de la Renaissance offerts à Gustave Cohen,* Paris, 1950, pp. 261-270.

16. *Le Cant de la Sibil·la en la cathédrale d'Alghero la veillée de Noël,* in *Estudis Ròmanics,* II (1949-1950), pp. 171-182.

17. Le Gouvert d'Humanité par *Jean d'Abondance,* in *Bibliothèque d'Humanisme et Renaissance.* Travaux et documents, XXIV (1962), pp. 282-338.

18. Le Mystère d'Adam (*Ordo representacionis Ade*). Texte complet du manuscrit de Tours publié avec une introduction, des notes et un glossaire, in « Textes littéraires français », 99. Genève et Paris, 1963, 119 pages.

19. *Un fragment de rôle comique datant du début du XIVᵉ siècle retrouvé dans un manuscrit déposé aux Archives cantonales du Valais, à Sion,* in *Vallesia,* XXII (1967), pp. 71-80.

LE « CANT DE LA SIBIL·LA »
DE LA NUIT DE NOËL A MAJORQUE

Veillée de Noël dans l'église cathédrale de Palma. L'office de matines vient de prendre fin. Seuls le chœur et les bases des infinis piliers gothiques, qui se perdent dans la nuit des voûtes ou du ciel de décembre, on ne sait, sont vaguement éclairés par quelques cierges et quelques lampes placés autour du maître-autel ou sur l'immense lustre qui le domine. Et voici que de la sacristie débouche un singulier cortège : deux servants de messe vêtus d'une soutane noire et d'un surplis blanc, un bedeau, puis un autre servant, en soutane rouge et surplis, avec en plus un manteau dont il relève les pans du bras droit, en même temps que, des deux mains, il tient une longue épée, pointe en l'air. Après avoir baisé l'anneau de l'évêque assis sur son trône, derrière le maître-autel, et fait la génuflexion devant le Saint-Sacrement, le clergeon porte-épée monte en chaire et, là, chante sur un air très particulier, en langue vulgaire, en catalan, les dix strophes d'une traduction libre des *Quinze signes du Jugement* [1] qui commence par les vers :

> El jorn del Judici
> Parrà qui haurà fet servici [2]

chaque strophe étant suivie d'une brève mélodie d'orgue. Et lorsque

---

[1] Ces vers de la Sibylle majorquine ont été maintes fois publiés, avec quelques variantes. Cf. par exemple Fr. P. Briz, *Cansons de la terra*, vol. IV, Barcelona et Paris 1874, p. 259 ; Erzherzog Ludwig Salvator, *Die Balearen*, vol. I, Würzburg und Leipzig 1897, p. 164 ; Mn A. Mª Alcover, *Contarelles d'En Jordi des Recó*. 2ᵉ éd. Ciutat de Mallorca 1915, pp. 525-526 ; F. Pedrell, *Cancionero musical popular español*, t. I, Valls 1894, p. 57.

[2] Sur la signification de ces vers, cf. F. de B. Moll, *Consultes de llenguatge ¿ Què vol dir el segon vers de la Sibil·la mallorquina ?* Bolletí del Diccionari de la llengua catalana, t. XVII (1935), pp. 152-153 ; le même, *Sobre el segon vers del Cant de la Sibil·la*, Bolletí del Diccionari..., t. XVIII (1936), pp. 22-27. Sur la musique des différentes versions, voir M. Sanchis Guarner, *El Cant de la Sibil·la, antiga ceremònia nadalenca*, Valencia, 1956.

notre petit chantre a terminé, il descend de la chaire, s'agenouille de
nouveau devant le maître-autel, retourne baiser l'anneau de l'évêque
— seul détail différenciant le cérémonial qu'il observe de celui que
suit un prédicateur ordinaire —; puis, précédé toujours du sacristain
et des deux porte-chandeliers, il disparaît. La messe de minuit, la
« misa del gallo », va commencer.

Coutume extra-liturgique qui n'est pas suivie qu'à la cathédrale :
dans la plupart des églises de la ville, on la retrouve avec quelques
variantes; et elle existe dans presque toutes les églises de l'île — mais
non à Minorque — : à Manacor, à Marratxeí, à Lluchmaior en
particulier [1]. « En muchas parroquias de la isla — a remarqué le
musicologue A. Noguera — se representa la Sibila la noche de la
Natividad de Jesu-Cristo. Encárgase de cantarla, inmediatamente
después de concluído el *Te Deum,* un muchacho de unos doce años
que viste un traje claro de seda profusamente bordado, lleva en la
cabeza una especie de gorro armenio del mismo color del traje y
sostiene con ambas manos una pesada y reluciente espada. Ocupa el
púlpito entre dos monagos y entona el canto de la profecía ; canto
altamente extraño y original, de sabor marcadamente arcáico á pesar
de su tonalidad (que es la moderna). » [2] Il paraît même que dans
d'autres endroits, à Lluchmaior par exemple, selon une lettre de
l'abbé Antoni Pont à Fr. Pujol, le costume du clergeon est plus spé-
cifiquement féminin : on l'appelle « a la ciutadana », ou « de
senyora », et il est composé d'« unes faldes de color i a damunt unes
de mossolina molt clara que fasse transparent » ; l'enfant porte
comme couvre-chef « un barret més o menys estrany (a Manacor
solia dur una gorra de bebè)»; et, à Lluchmaior et à Manacor, une
fois qu'il est descendu de la chaire, il tranche de son épée un fil qui
supporte des oublies » [3], de ces oublies qui, la veille de Noël, ornent
la crèche de l'église des Franciscains de Palma, ou qui pendent du
grand lustre de la cathédrale.

Nous possédons heureusement quelques indications sur l'historique de cette cérémonie : indications qui nous montrent du reste
que la tradition n'a nullement été continue, et qu'elle aurait en particulier subi l'influence de l'usage de Valence. Elle fut en effet supprimée en 1572 par l'évêque D. Diego Arnedo ; mais, trois ans plus

---

[1] F. Pujol, *El Cant de la Sibil·la,* in *Butlletí del Centre excursionista de Catalunya,* XXIIIᵉ année (1918), p. 217.

[2] A. Noguera, *Memoria sobre los cantos, bailes y tocatas populares de la isla
de Mallorca,* Palma 1894, p. 57.

[3] Fr. Pujol, art. cit., p. 217.

tard, à la demande de son successeur D. Juan Vich y Manrique, le chapitre cathédral la rétablit le 24 décembre 1575, « disponiendo que se ejecutasen además algunas cantinelas devotas, como se hacia en otras iglesias, particularmente en Valencia ». Et le 4 décembre 1666, l'évêque D. Pedro Manjarrés de Heredia prohiba les représentations de la Sibylle dans toutes les églises du diocèse, à moins qu'il ne les autorise expressément par écrit [1] : édit qui sans doute fut appliqué de façon très large, puisque la coutume s'y est maintenue jusqu'à nos jours.

Mais nous avons des renseignements concernant le chant de la Sibylle à Majorque, antérieurement déjà à 1572: selon l'abbé Anglès, une *Consueta* datant du milieu du XIVe siècle précise que, lors des matines de la veillée de Noël, l'évêque récitait la neuvième leçon, et qu'ensuite « sex presbiteri ascendant trunam, et duo incipiant alta voce *Judicii signum,* et chorus respondeat *Judicii signum.* Et predicti sex presbiteri, bini et bini, dicent omnes alios versus, et in fine cuiuslibet versus chorus respondeat *Judicii signum* ; et finitis omnibus versibus, Episcopus finiat lectionem » [2] ; suivait la lecture de l'évangile, puis le chant du *Te Deum.* Si je comprends bien ce texte, ces six prêtres formaient trois groupes de deux, chacun de ces groupes chantant à tour de rôle une strophe du *Judicii signum,* dont chaque strophe était suivie, comme d'un refrain, de la première strophe du chant, reprise par le chœur, c'est-à-dire par les quatre autres ecclésiastiques. Il s'agissait donc, si l'on veut, d'une récitation ou d'un chant du *Judicii signum* réparti entre deux groupes de chantres, un groupe de deux et un de quatre, les composants de ces groupes variant pour chaque strophe et chaque refrain. Le chapitre cathédral ayant rétabli l'usage du chant de la Sibylle en 1575 « como se hacía... particularmente en Valencia », on pourrait penser qu'à Valence nous courons le risque de trouver quelque chose d'approchant de l'usage majorquin actuel : il n'en est cependant rien, car ce que nous savons des cérémonies de Noël dans cette ville, au XVe siècle, est très différent des coutumes majorquines. Villanueva [3] nous dit en effet qu'à Valence, selon le bréviaire de 1464, « se halla el testimonio de la Sibila Erítrea, repetiéndose despues de cada dístico

[1] J. Villanueva, *Viage literario a las iglesias de España,* t. XXII, Madrid 1852, pp. 133 et 185. Cf. aussi A. Noguera, op. cit., pp. 57-58, et Fr. Pujol, art. cit., p. 215.

[2] H. Anglès, *La música a Catalunya fins al segle XIII,* Barcelona 1935, p. 300.

[3] J. Villanueva, op. cit., vol. cit., p. 134. Cf. J. Ruiz de Lihory, *La Música en Valencia,* in *Diccionario biográfico y crítico,* Valencia, 1903, p. 48, note 1.

el primero : *Judicii tellus* etc... » (ce qui révèle un état de choses très semblable à celui attesté à Palma au XIVe siècle). Mais il nous dit encore que, selon un cérémonial datant de 1533, on ajouta à l'office de cette fête — nous reviendrons sur ce point — tous les témoins qui prophétisèrent la venue du Christ, et que la Sibylle, selon ce texte, « deu estar ja apparelada en la trona, vestida com à dona », indication à laquelle fait suite la récitation en catalan du *En lo iorn del iudici.*

Des cérémonies analogues étaient connues ailleurs en Espagne. Pour Tarragone également, Villanueva mentionne que la Sibylle intervenait, bien que peut-être, selon lui, il ne s'agît là que d'« una representación ó escena ó comedia » [1], hypothèse peu justifiée, puisque les constitutions synodales édictées à la fin du XVIe siècle par l'évêque D. Antonio Agustí précisent que les « Sibillae carmina, et pastorum nugas, aliasque vulgares cantilenas nullo tempore in ecclesiis cani permittantur, sed laetitia spirituali exultans clerus populum doceat visum levitatis signum, esse fugiendum omnibus Christianis » [2], ce qui laisse au contraire supposer que là encore il s'agissait de la récitation par la Sibylle des *Signes du Jugement,* en langue vulgaire. Ce qui est d'autant plus vraisemblable que, cette récitation et ce texte, nous les rencontrons dans d'autres villes de Catalogne : un ordinaire barcelonais imprimé en 1569, après la rubrique « De la manera de cantar *Al jorn del judici* les matines de Nadal », donne les paroles et la musique du *Judicii signum* et de sa version catalane [3] ; un ordinaire de Vich de 1568 reproduit lui aussi le même texte vulgaire [4] ; un *Ordinarium sacramentorum* de Gérone publié en 1550 précise que le « *Judicii signum* in nona lectione matutinarum Natalis Domini sequenti modo in sede Gerundensi a puero cantatur... »: et il fait suivre le texte catalan et la musique [5]. Et ces mêmes indications se retrouvent, pour la Seu de Urgell, toujours avec texte et musique, dans un ordinaire de 1580 [6]. Ajoutons encore que, selon

---

[1] J. Villanueva, op. cit., t. XIX, Madrid 1851, p. 96.

[2] J. D. Costa y Borrás, *Obras,* p. p. R. de Ezenarro, t. V. Barcelona 1866, p. 281.

[3] *Ordinarium Barcinonense,* Guilielmi Cassadori episcopi iussu aeditum, Barcinone 1569, fos 285 vo et 286 vo.

[4] *Ordinari o Manual perals Curats...,* lo qual mana imprimir... D. F. Benet de Tocca bisbe de Vic, Barcelona 1568, fo 258 vo.

[5] *Ordinarium Sacramentorum* secundum laudabilem ritum Diœcesis Gerundensis, Lugduni 1550, fo CCXV.

[6] *Ordinarium Urgellinum,* Lugduni 1548, fo CLXXX vo.

H. Daniel, le chant de la Sibylle était chanté à Alghero, en Sardaigne, aux environs de 1850 [1].

Ajoutons enfin que ce même chant, selon l'abbé Anglès, figure dans d'autres manuscrits, de Montpellier (XIIᵉ siècle), de Madrid (XIIIᵉ siècle), de l'Escurial, de Silos. Contentons-nous de remarquer que le manuscrit de Madrid est d'origine tolédane, et que, grâce à Asenjo Barbieri, nous sommes exactement renseignés sur le chant de la Sibylle dans la cathédrale de Tolède. « En la noche de la Natividad de Jesucristo — nous dit-il —, concluido de cantar el himno *Te Deum laudamus,* salía de la sacristía un seise vestido de mujer, con un traje de mangas perdidas ricamente bordado al gusto oriental ; sobre el hombro izquierdo llevaba cosida una tarjeta á modo de charretera en la cual se hallaban escritos los diez antiguos versos sibilinos que empiezan : *Judicii in signum tellus...* En la cabeza llevaba un tocado especie de diadema en forma como de mitra por su parte delantera, y en las manos un cuaderno en el cual se hallaban escritos los versos sibilinos en castellano con su correspondiente música... A este seise acompañaban otros cuatro colegiales infantes : dos, vestidos con albas y estolones, coronados de guirnaldas, y llevando cada uno en su mano derecha una espada desnuda con la punta hacia arriba : estos dos colegiales se dice representaban ser Angeles. Los otros dos colegiales acompañantes vestidos en traje de cor, es decir, con ropón de larga cola y su sobrepelliz correspondiente, llevaban sendas hachas grandes encendidas, con objeto de hacer más visibles los otros tres personages. Subían todos cinco á un tablado como de cinco piés de alto, que estaba dispuesto *ad hoc* cerca del púlpito del lado del Evangelio, y se colocaban en fila, ocupando la Sibila el centro entre los dos Angeles, y los de las hachas uno á cada extremo. » A cette entrée faisait suite un chant dialogué entre la Sibylle et le chœur, tandis que les porteurs d'épée brandissaient trois fois leur arme. Après quoi tous quittaient le podium et retournaient à la sacristie. Cette cérémonie — continue notre auteur —« se ha seguido haciendo durante el siglo XVIII ; después cayó en desuso, y á mediados del siglo actual (XIXᵉ siècle) quiso resucitarla un señor Deán de Toledo, pero produjo tan mal efecto en la generalidad de los fieles, y ocasionó tantos disgustos al Deán, que ni á este ni á otro se le ha occurrido volver á pensar en ello » [2].

---

[1] H. Daniel, *Thesaurus Hymnologicus,* t. V. Lipsiae 1856, p. 32 ; détail mentionné par H. Anglès, op. cit., p. 296, note 4.

[2] Fr. Asenjo Barbieri, *El Canto de la Sibila,* in *Ilustración musical hispanoamericana,* 1ʳᵉ année (1888), nᵒ 7 (30 avril), pp. 50-51.

La cathédrale de Léon elle aussi, comme il résulte d'un travail
récent de M. Raimundo Rodríguez [1], et surtout des notes qui l'accompagnent, a connu le chant de la Sibylle. Usage qui là encore semble
avoir varié au cours des siècles. Si nous nous bornons aux faits assurés — méthode qui n'est pas toujours celle de M. Rodríguez —, il
résulte des indications d'un manuscrit de la fin du XIIIᵉ siècle qu'à
cette époque, la nuit de Noël, après la sixième leçon, deux chanoines
chantaient le *Judicii signum* [2], dont un autre codex, un peu postérieur, nous a conservé paroles et musique [3]. Plus tard, au XVᵉ siècle,
comme le remarque justement le même érudit [4], et comme on peut
le voir d'après des extraits de comptes de la fabrique de la cathédrale [5] qu'il publie en appendice, la cérémonie est plus complexe et
plus spectaculaire : la Sibylle, c'est-à-dire le clergeon chargé de ce
rôle, « llegaba a la Catedral, desde una dependencia de la misma,
vestida con gran riqueza, bien pintada y montada en bien enjaezado
caballo, con mucho acompañamiento de mozos y tambores, salterios,
trompetas, sonaja y rabeles ». Il ajoute que cette cérémonie dut être
supprimée vers le milieu du XVIᵉ siècle, et qu'elle fut restaurée quelques années plus tard, sur le modèle sans doute de celle dont était le
théâtre la cathédrale de Tolède, puisqu'une décision du chapitre, en
date du 4 décembre 1581, précise qu'« ordenaron y mandaron que
de aquí en adelante la noche de Navidad se cantase la Sibila como
se solía hacer y que el Sr. Administrador tuviese cuidado de que se
aderezase y el Maestro de ceremonias de informarse de Toledo a qué
tiempo y hora se ha de cantar y el Maestro de Capilla tuviese cuidado de instruir un mochacho que mejor la cante ».

* * *

Que le chant du *Al jorn del Judici* en langue vulgaire n'ait fait
que se substituer au chant du *Judicii signum* latin, c'est ce qui théoriquement est plus que probable : et j'en veux voir une preuve pal-
pable dans le fait que l'ordinaire de Barcelone, imprimé en 1569,
nous donne les deux textes, latin d'abord et catalan ensuite [6]. Si nous
remarquons que les ordinaires de Vich (1568) et de Gérone (1550)

[1] R. Rodríguez, *El canto de la Sibila en la catedral de León,* in *Archivos leoneses,* vol. I (1947), pp. 1-21.
[2] R. Rodríguez, art. cit., p. 14, note 16.
[3] R. Rodríguez, art. cit., pp. 9-11.
[4] R. Rodríguez, art. cit., p. 15.
[5] R. Rodríguez, art. cit., p. 20.
[6] Cf. M. Milá y Fontanals, *El canto de la Sibila en lengua de oc,* in *Romania,*
9ᵉ année (1880), p. 360.

n'ont que le chant en catalan, mais qu'auparavant un ordinaire de Majorque datant du milieu du XIVe siècle et un autre de Gérone qu'on attribue au même siècle mentionnent expressément la récitation du *Judicii signum*, et qu'il en était de même à Vich au XVe siècle encore [1], on sera amené à admettre que, pour cette cérémonie extra-liturgique, le passage du latin au catalan se sera vraisemblablement effectué au XVe siècle. Sans grande chance d'erreur, on peut du reste imaginer qu'il y aura eu des hésitations, que l'usage aura varié suivant les églises, les régions, les sentiments des supérieurs ecclésiastiques : l'existence d'un lectionnaire barcelonais du commencement de ce même XVe siècle, donnant le texte catalan avec la musique [2], ferait supposer que cette laïcisation de la langue, pour l'usage qui nous occupe, se serait introduite en Catalogne, venant du Midi de la France — le plus ancien texte que l'on ait en langue vulgaire du *Judicii signum* est donné, nous le savons, par un lectionnaire du XIIe siècle conservé à Montpellier —, par Barcelone même [3].

Quels sont maintenant les rapports existant entre le *Judicii signum* — et par conséquent le texte catalan qui n'en est qu'une libre traduction — et le sermon de saint Augustin qui a donné naissance à la *Procession des prophètes* ? Milá y Fontanals admet que « la costumbre de cantar la versión romanceada provino directamente del sermón y nó de uno de sus engendros dramáticos » [4] : il en veut voir la preuve dans le fait que le texte vulgaire est, comme je viens de le dire, la traduction libre du *Judicii signum* faisant partie du sermon, tandis que dans la *Procession des prophètes* de Limoges la Sibylle ne prononce que trois vers seulement [5] du texte latin, qui comprend en tout vingt-six hexamètres. Mais ce n'est point là une preuve suffisante. En réalité, pour le détail du chant de la Sibylle comme pour tant d'autres, il y a dû y avoir au cours des ans, et suivant les lieux, des variations et des hésitations considérables, dont les quelques manuscrits dont nous disposons ne peuvent nous donner qu'une pâle idée. Le fait est que le lectionnaire d'Arles du Xe siècle contient la tirade de la Sibylle au complet [6] ; mais le fait est aussi qu'à Saint-

---

[1] H. Anglès, op. cit., p. 300.

[2] H. Anglès, op. cit., p. 296.

[3] Cf. M. Milá y Fontanals, art. cit., p. 356.

[4] M. Milá y Fontanals, art. cit., p. 354.

[5] Cf. K. Young, *The Drama of the Medieval Church,* vol. II, Oxford 1933, p. 142.

[6] K. Young, op. cit., vol. cit., p. 130, et M. Sepet, *Les prophètes du Christ. Etude sur les origines du théâtre au Moyen Age,* in *Bibliothèque de l'Ecole des Chartes,* 28e année (1867), pp. 7-8.

Martial de Limoges, à Laon au XIIIᵉ siècle [1], à Rouen dans la *Procession de l'âne* [2], la Sibylle ne prononce qu'un ou quelques vers. Il n'y a là rien que de très naturel: lorsqu'on représentait la *Procession des prophètes* on tentait de donner à chacun des rôles des prophètes une importance, une longueur sensiblement égale : ce qui n'a été possible qu'en sabrant, au risque de lui enlever son intérêt, le *Judicii signum*. Mais il existait une autre solution possible : comme l'a dit Milá y Fontanals, en parlant de ce poème, « su extensión y su forma versificada pudieron contribuir á que llamase particularmente la atención y á que, puesto en idioma vulgar, se cantase en algunas iglesias » [3]. En d'autres termes, il a pu se produire ceci : que par le même processus, par lequel on a abouti au drame de Daniel, par ce processus de désagrégation, pour reprendre le terme dont a usé Sepet [4], le rôle donné à la Sibylle est devenu si prépondérant, qu'il formait au point de vue esthétique une telle tumeur, qu'il a fini par sortir du texte de la *Procession,* et qu'il l'a même évincée. Nous aurions cependant, non point un drame de la Sibylle dont l'existence possible est admise par Sepet [5], mais une simple récitation, un monologue dramatique mis dans la bouche de ce personnage.

La longueur même du rôle de la Sibylle dans le sermon attribué à saint Augustin n'a pas du reste été la seule raison qui a pu inciter un innovateur à disjoindre ce rôle de celui des autres prophètes, et à en faire un monologue à part: le fait que, tant dans la *lectio* pseudo-augustinienne que dans l'*Ordo* de Limoges, le texte de Laon et celui du *Festum Asinorum* de Rouen, la Sibylle paraît la dernière, a pu avoir comme résultat qu'on aura considéré ce rôle comme une sorte de synthèse, comme un résumé en quelque sorte de la *Procession des prophètes.* Je serais tenté d'admettre que nos récitations catalanes et autres du *Judicii signum* refléteraient un état ancien de la *Procession* dans lequel, comme dans la leçon pseudo-augustinienne, le rôle de la Sibylle aurait été sensiblement plus développé que celui des autres prophètes.

Qu'en Catalogne le chant de la Sibylle dérive, non point directement du sermon faussement attribué à saint Augustin, mais bien de la *Procession des prophètes* dont elle ne serait qu'un dernier écho, c'est ce qui est d'autant plus vraisemblable que nous avons plusieurs

---

[1] K. Young, op. cit., vol. cit., p. 150.
[2] K. Young, op. cit., vol. cit., p. 165.
[3] M. Milá y Fontanals, art. cit., p. 353.
[4] M. Sepet, art. cit., p. 233 sqq.
[5] M. Sepet, art. cit., p. 237.

témoignages de l'existence de cette dernière dans la région qui nous intéresse. On a conservé en effet un drame de Noël, œuvre du P. Michael Pasqual, joué à Vila de Búger (Majorque) en 1599 [1]. Drame qui comportait vingt-quatre personnages — je les mentionne avec la forme qu'ils ont dans le texte même — : Original, Lucifer, La Mort, Mortal, Venial, Adam, Abraam, Davit, La Sibilla, Isayes, Emperador ab quatre Magnats, lo Accusant, el Porter Algotzir, Joseph, Marie, Pastors (Tonet, Guillem, Tomeu, Pascal), l'Angel enfin. La Sibylle y a un rôle fort important : elle fait une première apparition « a to de *Pange lingua gloriosi* » [2], puis une seconde, durant laquelle elle prononce les strophes d'*Al jorn del judici* suivant un texte un peu transformé, chacune de ces strophes étant suivie d'une tirade de l'Empereur qui tâche de contredire son interlocuteur. Voici les quatre premières [3] :

Sibilla. Al iorn del iudici
parrá qui n haura fet servici.
Vn rey dels reys Deu eternal,
Señor del mon universal,
del cel uer hom deuallará,
qui bons y mals iudicará.

Emperador. No sera rey de tot lo mon
quim fassa tal traició,
que lo mon vinga a jutiar
qu'ab mi no age de parlar.

Sibilla. Ans del iudici quinze señals
se mostraron forts, generals,
doran spant a tot lo mon,
per que tal cosa ia may fonch.

Emperador. E quin Senor aqueix sera
qui tales coses dius que fara,
e com tindra tant de gozar
que lo mon fassa tremolar.

Mais ce n'est là évidemment qu'un arrangement assez tardif, qui au surplus, en dehors même du sujet qui nous intéresse, n'est point sans importance, puisque le premier des prophètes est Adam. Il y a mieux, puisque Villanueva, ainsi que nous l'avons vu, s'étend sur un drame de Noël représenté à Valence, dans lequel, selon un cérémonial datant de 1533, on avait ajouté au rôle de la Sibylle, déjà connu antérieurement dans cette ville, « todos les testimonios que profetizáron la venida de Christo : los quales anunciaba el Lector de este modo : dic tu, Jeremia : dicat et Isaias ». Et il ajoute avec raison que « como se notan con tinta colorada los nombres de estos Profetas, y despues de sus palabras la del Lector, es probable que estos testimonios les dixese otro respondiendo á la pregunta del Lector,

---

[1] G. Llabrès, *Consueta de la nit de Nadal*, in *Bolletí de la Societat arqueológica luliana*, années XXX-XXXI (1914-1915), vol. XV, pp. 38-46. Cf. sur ce texte H. Anglès, *El Cant de la Sibil·la*, in *Vida Cristiana*, 4ᵉ année (1917), p. 72.

[2] G. Llabrès, art. cit., p. 40.

[3] G. Llabrès, art. cit., p. 43.

como lo previene quando llega á la profecía de la Sibila con estas palabras : la Sybilla deu estar ja apparelada en la trona... » [1]. C'est donc avec raison aussi que Mgr Griera [2] a noté la ressemblance de ces faits avec ceux qui nous sont révélés par le lectionnaire d'Arles du XIIe siècle: nous sommes certainement en présence, ici comme là, d'une dramatisation du pseudo-sermon de saint Augustin. Remarquons du reste que la cérémonie commençait par la lecture du sermon lui-même.

Fait intéressant en soi, certes, mais qui pourrait donner raison à ceux qui, comme M. Rodríguez à une date récente, estiment que le rôle isolé de la Sibylle représente un état de choses plus ancien que celui de l'ensemble de l'*Ordo Prophetarum*. Mais il y a mieux encore. L'abbé Anglès parle en effet d'un ordinaire de Gérone du XIVe siècle contenant le texte suivant : « Nona lectio *Inter pressuras* et fiat *Repraesentatio Prophetarum,* et quilibet dicat suum titulum. Sibyllini idem versus a pueris vel clericis repetendo post quemlibet primum *Judicii signum,* etc. Post *Te Deum.* » [3] Texte trop concis et trop peu explicite à notre gré, mais qui suffit à nous prouver que, dans cette *Repraesentatio Prophetarum* paraissaient divers prophètes qui se présentaient — et qui sans doute, ajouterons-nous, récitaient leurs prophéties — qui étaient, semble-t-il (car la seconde phrase en particulier est fort obscure), encadrés par les vers de la Sibylle. Et ce n'est que plus tard que, dans cette même cathédrale de Gérone, nous trouvons un enfant chantant le *Judicii signum*.

L'*Ordo Prophetarum,* bref, sous une forme que nous ne pouvons préciser, a été connu en Catalogne dès le XIVe siècle. Du peu que nous savons, il résulte en tout cas que la Sibylle paraît avoir eu, à Gérone au XIVe siècle déjà, à Valence plus tard, un rôle plus important que celui des autres prophètes. Mais nous sommes déjà à une date relativement avancée : et le fait que, plus nous remontons dans le temps, plus la part attribuée aux autres prophètes se précise, rend vraisemblable le sentiment que, contrairement à ce qu'a dit Milá y Fontanals, le *Cant de la Sibil·la,* en dernière analyse, ne procède pas directement du sermon pseudo-augustinien, mais indirectement plutôt, par l'intermédiaire de la *Procession des prophètes*. Cérémonie qui peut-être a eu en terre d'Espagne, comme du reste dans le lectionnaire d'Arles, un cachet plus archaïsant qu'à Limoges ou qu'à Rouen,

---

[1] J. L. Villanueva, op. cit., t. I, pp. 134-135.
[2] A. Griera, *Litúrgia popular,* in *Butlletí de dialectologia catalana,* vol. XVIII (1930), p. 6.
[3] H. Anglès, op. cit., p. 283.

en ce sens qu'elle était plus proche du texte du sermon, du fait que le rôle de la Sibylle, soit plus précisément les hexamètres du *Judicii Signum*, y figuraient en entier.

Nous avons au surplus, dans le costume de la Sibylle de Palma, un trait archaïque que l'on ne trouve pas en France. Alors qu'à Laon elle est « veste feminea, decapillata, edera coronata, insanienti simillima», et qu'à Rouen elle est «coronata, et muliebri habitu ornata»[1], nous trouvons, comme accessoire principal de la Sibylle majorquine d'aujourd'hui, une épée. Détail qui, à n'en pas douter, est inspiré par le texte même du sermon : immédiatement avant le *Judicii signum,* nous lisons ceci : « Quid Sibilla vaticinando etiam de Christo clamaverit in medium proferamus, ut ex uno lapide utrorumque frontes percuciantur, Iudeorum scilicet atque paganorum, atque suo gladio, sicut Golias, Christi omnes percuciantur inimici. »[2]

Constatant que le chant de la Sibylle a été connu non seulement en Catalogne, mais en Aragon, en Castille, en France et en Italie, Mn Anglès s'est demandé quelle pouvait être sa provenance. Il répond à cette question, avec quelques hésitations il est vrai, en disant que, si nous remarquons que des trois manuscrits du Xe siècle qui nous ont conservé le *Judicii signum* deux viennent de pays hispaniques, et le troisième du Midi de la France, et que le manuscrit wisigothique de Cordoue a été écrit à un moment où dominait encore la liturgie mozarabe, « ens dóna peu per a poder apuntar si tanmateix el cant de la Sibil·la no podria ésser una pràctica nadalenca nada dins la litúrgia mossàrab »[3]. « Seria molt estrany — continue-t-il — que l'església mossàrab hagués emprat al segle X una pràctica litúrgica a les esglésies de França; en canvi, és molt possible que Ripoll l'hagués rebut de la litúrgia mossàrab i que aquells monjos l'haguessin duta als monestirs francesos. » Dois-je avouer que cette hypothèse de l'illustre musicologue me paraît des plus hasardées, qu'elle me semble manquer de fondements ? Nous savons en effet que « la Catalogne était en rapports constants avec les grands monastères du Midi ou de l'Ouest de la France, Saint-Pierre de Moissac, Saint-Martial de Limoges, Saint-Benoît près Fleury-sur-Loire, etc... », et que « ces monastères, où la musique était très cultivée, ont exercé une influence considérable sur les couvents de Catalogne » ; on a constaté en particulier « que les proses en usage au monastère de Ripoll... provenaient en majorité de Saint-Martial de Limoges et de Saint-Pierre

---

[1] K. Young, op. cit., vol. cit., pp. 145 et 165.
[2] K. Young, op. cit., vol. cit., p. 130.
[3] H. Anglès, op. cit., p. 300.

de Moissac » [1]. Notre texte de Ripoll ne pourrait-il donc pas être dû
à une influence identique ? et l'*homiliarium* de Cordoue, s'il est vrai
qu'il s'agit d'un manuscrit mozarabe, écrit à Valeráncia, près de
Burgos, vers 960, ne pourrait-il pas lui aussi être un témoin, sur ce
point au moins, d'une influence septentrionale ?

Si paradoxal que cela puisse paraître, le chant ou la récitation
du *Judicii signum* ou de sa paraphrase en langue vulgaire n'a pour
la recherche des origines du sujet qui nous occupe qu'un intérêt relatif, qu'un rôle secondaire, bien que seule cette coutume se soit per-
pétuée, à Majorque. Car s'il n'est pas impossible théoriquement que
ce soit ce poème dit par la Sibylle qui ait suggéré çà et là par la suite
l'adjonction, dans cette partie extra-liturgique des cérémonies de
Noël, de monologues mis dans la bouche d'autres prophètes ; si, en
d'autres termes, il n'est pas impossible théoriquement que le *Judicii
signum* ait été l'amorce de l'*Ordo prophetarum*, cette hypothèse se
heurte à tous les textes dramatiques que nous connaissons, dont les
plus anciens se trouvent non point en Espagne, mais dans le Midi de
la France, à Arles, à Limoges : textes qui nous prouvent qu'à l'origine de l'*Ordo* il y a, à n'en pas douter, le sermon pseudo-augustinien. Cérémonie multiforme, texte fluide, usage changeant et divers,
suivant les âges et les lieux, changeant dans un même endroit suivant
les époques: le mode de récitation n'étant pas le seul à évoluer, mais
le nombre et les noms des prophètes variant aussi, de même que, pour
la Sibylle, variait l'ampleur du texte qu'elle disait. Mais si la récitation du *Judicii signum* ne trouve son explication, au moins originairement, que dans la représentation de l'*Ordo*, ce dernier n'est point
lui-même une manifestation dramatique isolée : ce n'est qu'une des
extériorisations de ce théâtre liturgique ou semi-liturgique du Moyen
Age, théâtre qui s'est incontestablement développé en France, et
dont le théâtre espagnol du Moyen Age n'est qu'un écho et un pro-
longement. L'Espagne, au Xe siècle, au XIe siècle, avait d'autres
préoccupations que de combiner et de développer des éléments liturgiques pour en créer un théâtre : sa foi, elle la vivait plus sur les
champs de bataille que dans les sacristies ; son drame religieux, elle
le construisait avec les cadavres de ses enfants, et le cimentait de
son sang.

---

[1] Th. Gérold, *Les drames liturgiques médiévaux en Catalogne,* in *Revue d'histoire et de philosophie religieuse,* 16e année (1936), p. 430.

LE « CANT DE LA SIBIL·LA »
EN LA CATHÉDRALE D'ALGHERO
LA VEILLÉE DE NOËL

I

C'est dans un ouvrage qui a plus de cent ans, le *Thesaurus Hymnologicus* de H. Daniel[1], que se rencontre à ma connaissance la première mention du fait qu'en la cathédrale d'Alghero, la nuit de Noël, on chante les vers du *Judicii signum* en langue vulgaire : séquence qu'on appelle *Lu señal del Judici* en dialecte local, et le *Canto della Sibilla* en italien. Quelques dizaines d'années plus tard, Eduard Toda, dans *La poesia catalana a Sardenya*, nota que « es de antigua fetxa dintre mateix de Catalunya, ja que la trobam cantantse al sigle XIV, y dintre Sardenya no ha sofert grans transformacions, mantenintse fins a nostres dias, com igualment se manté a Mallorca »[2] et nous en donne texte et musique. Mais l'érudit qui s'en est occupé avec le plus de détails est sans contredit G. Palomba, qui a remarqué que la plus importante des poésies religieuses chantées à Alghero « è il Canto del Giudizio Universale che viene cantato in occasione del Natale, sul pulpito, con voce solenne da un canonico ; alla sua destra sta un chierico che tiene il bordone d'argento, simbolo dell'autorità capitolare, a sinistra un altro chierico che impugna una spada, simbolo della giustizia divina ». Il ajoute — mais je ne sais sur quelles preuves il se base — qu'il s'agit là d'« un'antica cerimonia spagnuola che da oltre quattro secoli si celebra in Alghero ed ha stretto rapporto ... colla liturgia delle feste natalizie. Risale a quanto sembra al 1503 sotto il vescovado di monsignor Parenti, il primo vescovo d'Alghero »[3]. Palomba a lui aussi publié le texte de la séquence, et se proposait d'en publier ailleurs la

---

[1] H. Daniel, *Thesaurus Hymnologicus*, V, Lipsiae, 1856, p. 32.

[2] E. Toda, *La poesia catalana a Sardenya*, Barcelona, s. d., p. 19.

[3] G. Palomba, *Tradizioni, usi, costumi di Alghero*, in *Archivio storico sardo*, vol. VII (1911), pp. 234-235.

musique : mais je ne sache pas que ce projet ait jamais été exécuté. Deux ans après, soit en 1913, Mgr Filia faisait au *Cant de la Sibil·la* une brève allusion dans sa *Sardegna cristiana* [1]. Et ce ne sont encore que de brèves allusions qu'on trouve dans l'étude de Mgr Griera sur la liturgie populaire catalane [2], dans le riche *Repertori* de Massó i Torrents [3], ainsi que dans l'admirable *Música a Catalunya* de Mgr Anglès [4].

Il m'a été donné tout récemment de traiter en détail du *Cant de la Sibil·la* de Palma de Majorque, et d'étudier les origines de cette cérémonie extra-liturgique de la nuit de Noël [5]. Qu'il me soit permis aujourd'hui, en complément d'une simple ligne que je lui consacrais, de revenir sur l'usage d'Alghero: je voudrais en revoir, et le texte, et la musique, et la mise en scène qui les accompagnent, en situant chacun de ces éléments par rapport aux développements que ces mêmes éléments ont connus en Espagne et en Catalogne en particulier.

Tant Toda que Palomba, nous l'avons vu, ont transcrit le texte de la séquence [6]. Mais leurs transcriptions ne sont pas exemptes de fautes : Toda normalise trop son orthographe, et Palomba l'italianise fréquemment. L'original, dont on se sert aujourd'hui encore en la veillée de Noël, est un manuscrit relié en peau et doré sur tranches, conservé aux archives capitulaires d'Alghero. En plus du chant de la Sibylle, il contient le texte de la *Benedictio agrorum* suivant le *Rituel* romain. Sur la première page, il porte le titre qui suit : « Est ad usum | Archivii Capitularis | Algarien. | 1820. » On y a ajouté récemment un feuillet qui reproduit les indications données par Mgr Filia dans son livre. J'en dois une première copie à l'amabilité de M. Nicola Valle, l'érudit ethnologue et folkloriste sarde. Mais celle qui m'a été la plus utile, parce qu'accompagnée de toutes les remarques paléographiques voulues, est celle que, grâce à l'amitié du savant romaniste de l'Université de Cagliari, Giandomenico Serra, m'a faite le Dr. Antonio Sanna, assistant de philologie romane à la

[1] D. Filia, *La Sardegna cristiana : Storia della chiesa,* II, Sassari, 1913, p. 208.

[2] A. Griera, *Litúrgia popular,* in *Butlletí de dialectología catalana,* vol. XVIII (1930), p. 6.

[3] J. Massó i Torrents, *Repertori de l'antiga literatura catalana : La poesia,* vol. I, Barcelona, 1932, p. 374.

[4] H. Anglès, *La música a Catalunya fins al segle XIII,* Barcelona, 1935, p. 236, n. 4.

[5] Dans une étude intitulée *Un ultime écho de la Procession des Prophètes : le « Cant de la Sibil·la » de la nuit de Noël à Majorque,* in *Mélanges G. Cohen,* Paris, 1950, pp. 261-270, texte reproduit plus haut.

[6] Celui de Toda est du reste incomplet : il s'arrête au vers 42.

même université. C'est donc à lui que vont en particulier mes remerciements, puisque c'est sa transcription et ses notes que je reproduis ici :

SIGNUM JUDICI [1]

Al jorn del judici
parrà qui aurà fet servici.   2

Un Rey vindrà perpetual
vestit de nostra carn mortal
del Cel vindrà tot certament
per fer del setgle giugiament.   6

Ans quel judici no serà :
un gran señal sa monstrarà :
lo sol perdrà la resplandor,
la terra tremirà de por.   10

Aprés se badarà molt fort,
amostrantse de gran conort :
amostrar se an ab crits [2] y trons,
les infernals confusions.   14

Del Cel gran foc devallarà,
com a soffre molt podirà :
la terra cremarà ab furor
la gent aurà molt gran terror.   18

Aprés serà un fort señal :
dun terra tremol general :
les pedres per migx se rompran
y les montañes se fendràn.   22

Llavors [3] ningú tindrà talent :
de or, riqueses, ni argent :

---

[1] M. Sanna note que sur l'original l'accent est indiqué par un signe ˇ écrit de telle façon qu'on ne peut savoir s'il s'agit d'un accent grave ou d'un accent aigu. Palomba le rend invariablement par l'accent grave ; Toda, suivant l'usage castillan, se sert au contraire de l'accent aigu, sauf dans le cas de *terra trèmol*. Nous notons l'accent, pour autant que notre manuscrit le fait, en suivant l'usage catalan moderne.

[2] Telle est la version primitive corrigée, par la même main apparemment, en *bris*. Du *t* on a fait le *s* final, tandis que le *s* final de *crits* a été gratté.

[3] Ce mot a été écrit d'abord *Lavors,* graphie corrigée d'une autre main et d'une autre encre en *Llavors.*

esperant tots quina serà
la sententia ques darà.   26

De morir seràn tots son talents :
scrafidos [1] an totes les dens
no y aurà home que no plor
tot lo mon serà en tristor.   30

Los puits, y plans seran iguals
allí seran los bons y mals :
Reis Duchs Conptes, y Barons :
que de lus fets retran rahons.   34

Aprés vindrà terriblement :
lo fill de Deu omnipotent :
qui morts y vius judicarà
qui bé aurà fet allís parrà [2].   38

Les [3] infans qui nats no seran
dintre ses [4] mares cridaràn
diràn tots plorosament
adjudaus Deu omnipotent.   42

Mare de Deu pregau per nos
pus [5] seu Mare dels peccadors
que bona sententia hajam [6]
y Paradis possehjam.   46

Vos altres tots qui estau
devotament a Deu pregau
de cor ab de gran devoció
queus porte a salvació. AMEN.   50

Le premier savant qui se soit occupé du texte de notre séquence est Milà i Fontanals, qui a imprimé ou réimprimé différentes versions

---

[1] Ecrit d'abord *sclafidos*. De la même main, semble-t-il, le commencement du mot a été changé en *scra* : correction qui a été précisée par une main plus récente, qui utilisait une encre diverse.

[2] Ecrit primitivement *parà*. Le second *r* a été ajouté par le copiste même de notre manuscrit.

[3] Ecrit primitivement *los*.

[4] Ecrit primitivement *sas*.

[5] C'est la leçon de l'original. Une main plus moderne, utilisant une encre différente, a inséré un *e* de sorte que le mot est devenu *pues*.

[6] L'original avait *haiam*. Une main plus moderne, utilisant une autre encre, a allongé le *i* en *j*, et a mis un accent sur le *a* de la finale.

du *Cant de la Sibil·la* [1]. Une première version manuscrite suivant deux manuscrits du XVe siècle, appartenant l'un à la Bibliothèque Nationale de Paris (*Fonds français,* no 14972, fos 26-27) et l'autre aux archives du chapitre cathédral de Barcelone (*Armari gran,* no 24); il les désigne par les sigles *Aa* et *Ab*. Trois versions imprimées en Catalogne, la première (*Ba*) donnée par l'*Ordinarium urgellense* imprimé à Lyon en 1545 [2], l'*Ordinarium barcinonense* imprimé à Barcelone en 1569 (*Bb*)[3] et par un ouvrage plus récent imprimé à Cervera en 1818 (*Bc*)[4] ; la seconde (*C*), qu'il appelle version de Valence, qui n'a que vingt-deux vers, et qu'il reproduit du *Viage literario* de Villanueva [5] ; et la troisième (*D*), à laquelle il donne le nom de version de Majorque, qui a vingt-six vers et qui, à juste titre, paraît à Milà i Fontanals plus moderne, bien qu'elle se sépare moins du texte traditionnel que celle de Valence.

Un simple coup d'œil suffit pour qu'on se rende compte que la version d'Alghero est sensiblement différente, et de celle de Valence, et de celle de Majorque. Elle est par contre étonnamment voisine de celle de l'*Ordinarium urgellense* et de l'*Ordinarium barcinonense*. Comme ces dernières, en effet, elle compte cinquante vers, soit deux vers initiaux — servant éventuellement de refrain —, suivis de douze strophes de quatre vers. Quant aux variantes — je laisse de côté celles qui sont purement graphiques comme *vendra* pour *vindra*, ou *giugiament* pour *jutjament* — elles sont en général minimes : tandis que le texte d'Urgell a *se mostrara* (v. 8), *lo resplandor* (v. 9), *greu conort* (v. 12), *mostrar* (v. 13), *fundran* (v. 22), *sos talents* (v. 27), *sclafirlos* (v. 28), *de morts* (v. 37), *los infants* (v. 39), *sou mare de pecados* (v. 44), *qui escoltau* (v. 47), *ab gran devocio* (v. 49), celui d'Alghero donne *sa monstrara, la resplandor, gran conort, amostrar, fendran, son talents, scrafidos, qui morts, les infans, seu Mare dels peccadors, qui estau, ab de gran devociò*. C'est dire que la version

---

[1] M. Milá y Fontanals, *El canto de la Sibila en lengua de oc,* in *Romania,* vol. IX (1880), pp. 356-363. Réimprimé dans *Obras completas,* VI, Barcelona 1895, pp. 294-308.

[2] Ce texte a été reproduit, d'après Milá y Fontanals, mais avec une orthographe modernisée, par A. Griera, art. cit., pp. 7-8.

[3] Cette version a été imprimée par F. P. Briz, *Cansons de la terra,* vol. IV, Barcelona-Paris, 1874, pp. 259-261, et par M. Aguiló i Fuster, *Catálogo de obras en lengua catalana,* Madrid, 1923, p. 49.

[4] Il s'agit d'une des nombreuses éditions du *Llibre compost per Fra Anselm Turmeda.* Sur ces éditions, qui se sont succédé dès 1500 environ, cf. M. Aguiló i Fuster, op. cit., pp. 592-593, n.os 2257-2285.

[5] J. L. Villanueva, *Viage literario á las iglesias de España,* vol. I, Madrid, 1803, pp. 135-136.

d'Urgell est incontestablement plus correcte : le copiste d'Alghero a
commis quelques erreurs qui tantôt allongent un vers, tantôt en rac-
courcissent un autre ; erreurs qui parfois aussi, semble-t-il, proviennent de ce qu'il ne comprenait pas certains mots, et qu'il a jugé
à propos de les remplacer par des termes qui lui étaient plus familiers
— ou qu'il invente, tel le *scrafidos* du vers 28.

Milà i Fontanals déjà avait justement remarqué que le texte
d'Urgell différait de celui de Barcelone en ce qu'il donnait le texte
suivant, aux vers 25-26 :

> « esperant tots quina sera
> la sententia ques dara »

tandis que l'*Ordinarium barcinonense* a :

> « l'hom no haura de res desig
> sino solament de morir »

étant « obvio que la variante... se hizo para evitar el falso consonante
que resulta del catalán *desig* (*desitx*) substituído al provenzal
dezir » [1]. C'est, inutile même de le dire, à la leçon de l'*Ordinarium*
d'Urgell que se tient notre texte d'Alghero. En un endroit seulement,
au vers 12, il se sépare de l'ordinaire d'Urgell pour adopter la leçon
de l'imprimé de Cervera (*Bc*), avec *gran conort*, qui doit être une
variante relativement récente.

Variante relativement récente aussi que celle que je viens de
signaler, de l'*Ordinarium Urgellinum* : elle suffit à démontrer que
le texte catalan qui est à la base de nos différentes versions n'est
qu'une traduction, et une adaptation, d'un texte provençal, ainsi que
l'ont reconnu Milà i Fontanals [2] et Suchier [3]. Ce dernier, se basant
sur un manuscrit du XVe siècle de la Bibliothèque Nationale de Paris
(*Fonds français,* no 14973), a tenté de reconstituer le texte provençal
original, qui aurait eu selon lui, en plus de huit vers initiaux servant
d'introduction et de deux vers faisant office de refrain, seize strophes
de quatre vers, soit soixante-quatre vers. Sans que je veuille traiter
ici en détail de ce petit problème, ce qui serait hors de propos, qu'il
me suffise de remarquer que les rapports entre cet original provençal
et le texte qui sert de base aux variantes *B a, b, c,* de Milà sont moins
clairs qu'on a bien voulu le dire. Sans doute bon nombre de vers du
poème catalan se retrouvent-ils, plus ou moins complets, dans le texte

---

[1] Milá y Fontanals, art. cit., p. 362.
[2] Milá y Fontanals, art. cit., p. 359.
[3] H. Suchier, *Denkmäler provenzalischer Literatur,* vol. I, Halle, 1883, p. 569.

provençal : ainsi les deux vers du refrain, les vers 3, 5 et 6 de la première strophe, 11, 13 et 14 de la seconde, et une dizaine d'autres.
Mais notre chant a de nombreux éléments qui n'ont aucun correspondant dans le *Cant de la Sibila* provençal: telle la seconde strophe,
la quatrième, la cinquième, la neuvième, les deux dernières. C'est-
à-dire plus de la moitié des vers que compte notre séquence. Je ne
puis donc suivre Suchier, quand il dit que l'archétype qui est à la
base des variantes catalanes « lässt sich aus dem erhaltenen Provenz-
alischen Texte ohne Schwierigkeit ableiten, und geht nicht etwa
auf eine ältere Vorstufe desselben zurück » [1]. Qu'il y ait des rapports
très étroits entre nos séquences catalanes d'une part, et les textes provençaux publiés par Milà et Suchier de l'autre, c'est indéniable ;
mais il faut, me semble-t-il, si l'on admet qu'il y a filiation entre les
deux, et que les variantes catalanes représentent un état plus récent
— ce qui, après tout, n'est nullement certain, quoi qu'en dise Suchier
—, il faut, dis-je, supposer l'existence d'au moins une étape intermédiaire, qui pourrait être représentée par un texte des *Signes du Jugement,* écrit en catalan ou en provençal, inspiré partiellement des deux
textes provençaux que nous connaissons, et muni des deux strophes
finales, strophe d'invocation à la Vierge et strophe d'exhortation des
auditeurs à la piété.

II

Si le texte du *Cant de la Sibil·la* d'Alghero n'apporte après tout
rien de neuf, la musique qui l'accompagne mérite au moins une mention. Elle a déjà été reproduite par Toda, qui n'a fait qu'ajouter à
l'original quelques notes qui, sans doute, avaient été oubliées par le
copiste. Comme il a oublié aussi un bémol qui devait modifier le fa
de la syllabe *vin* de *vindrà*. Voici d'abord la transcription fidèle de
l'original :

Al jorn del Ju-di - ci par-rà qui au-rà fet ser-vi - ci

Un Rey vin-drà per-pe-tu-al ves-tit de nos-tra carn mor-tal, Del Cel vin -

drà tot cer-ta-ment per far del set - gle giu-gia - ment.

---
[1] Suchier, op. cit., loc. cit.

Mais cette mélodie n'est plus exactement celle qui est chantée aujourd'hui, et dont voici la transcription, que je dois, comme la précédente, à l'amabilité de M. Sanna :

Mélodie actuelle qui, on le voit immédiatement, ajoute quelques variations à la mélodie primitive, dont elle se distingue aussi par quelques changements, en particulier pour la partie qui accompagne les paroles « de nostra carn mortal » et « giugiament », où le dièse de l'avant-dernière note paraît être une amélioration moderne. Mélodie assez différente, somme toute, de la mélodie de 1820, puisque, en plus, nous constatons que tout le texte musical des vers « Del Cel vindrà tot certament | Per fer del setgle... » ne correspond plus que très partiellement à celui de notre manuscrit.

Mon incompétence en matière musicale m'empêche de pousser plus loin cette comparaison, et je laisse aussi à d'autres le soin de voir desquelles des mélodies notées par Mgr Anglès [1] se rapproche celle d'Alghero. Si cependant j'en crois mes yeux, je dirais qu'à mesure que notre mélodie se développe, elle se différencie de ses congénères. Tandis en effet que celle qui accompagne les deux premiers vers est apparentée de très près avec la première partie des mélodies de Montpellier, des manuscrits majorquins du XVe et du XIVe siècle, de l'*Ordinarium Urgellinum* de 1548 et aussi du *Lectionarium* barcelonais du XVe siècle, voici déjà que, pour les deux premiers vers de la première strophe, notre texte musical d'Alghero tend à se singulariser : si pour le premier vers la mélodie est encore très voisine de celle du lectionnaire de Barcelone, du *Cantorale* de Palma du XVe siècle, de l'*Ordinarium* d'Urgell et tout particulièrement de l'ordinaire barcelonais de 1569, il s'en distingue cependant quant aux notes qui accompagnent les mots « carn mortal ». Et si l'air sur lequel se chantent à Alghero les deux derniers vers a certaines tournures — celle par exemple du passage « vindra tot certament » — qui rappellent le passage correspondant du *Cantorale* du

[1] H. Anglès, op. cit., tableau II, après la p. 296.

XIVe siècle et de l'*Ordinarium Urgellinum,* notre texte musical
s'en éloigne passablement pour le reste. Si donc, en un mot, notre
mélodie de 1820, et celle d'aujourd'hui aussi, maintiennent des rapports assez étroits avec les autres mélodies du *Cant de la Sibil·la,* elles
en diffèrent cependant par de nombreux détails, par de nombreuses
innovations. Tandis que le texte de la séquence a peu changé, son
accompagnement musical s'est transformé : sans doute l'autorité
ecclésiastique veillait-elle moins sur les notes que sur les mots.

III

Reste maintenant à examiner le troisième élément du *Cant de la
Sibil·la* d'Alghero : la mise en scène. La séquence, nous le savons,
est chantée par un chanoine qui, revêtu d'une chape blanche, monte
en chaire, accompagné de deux acolytes, l'un portant un bourdon
d'argent et l'autre une épée, cadeau, si l'on en croit une tradition,
de l'empereur Charles-Quint au chapitre cathédral. Usage sensiblement différent de l'usage actuel de Majorque, où la séquence est
chantée par un clergeon revêtu de vêtements, ecclésiastiques ou non,
rappelant ceux d'une femme [1], ce qui doit évidemment évoquer le
souvenir de la Sibylle elle-même. Présence de la Sibylle dans les cérémonies de la nuit de Noël qui est attestée à Majorque en 1666 déjà,
puisque le 4 décembre de cette année l'évêque Pedro Manjarrés de
Heredia prohiba les représentations de la Sibylle dans toutes les églises
du diocèse, à moins d'autorisation expresse de sa part [2]. Mais elle
était connue antérieurement en Catalogne, puisque l'Ordinaire de
Gérone imprimé en 1550 nous donne le texte et la musique du *Judicii
signum* en langue vulgaire, texte qui, précise-t-il, « a puero cantatur » [3] ; que l'Ordinaire d'Urgell imprimé en 1548 reproduit lui
aussi ce chant, qui « in nona lectione matutinarum Natalis Domini...
in sede Urgellensi a puero cantatur » [4]. Sans doute ces indications
ne nous prouvent-elles pas absolument que le petit chantre était travesti en Sibylle : mais c'est probable. C'est certain en tout cas pour

----

[1] Cf. en particulier A. Noguera, *Memoria sobre los cantos, bailes y tocatas
populares de la isla de Mallorca,* Palma, 1847, p. 57, et F. Pujol, *El Cant de la
Sibil·la,* in Butlletí del Centre excursionista de Catalunya, vol. **XXIII** (1918),
p. 217.

[2] A. Noguera, op. cit., p. 57, et F. Pujol, art. cit.,, p. 217.

[3] *Ordinarium Sacramentorum secundum laudabilem ritum Dioecesis Gerundensis,* Lugduni, 1550, fo CCXV r.

[4] *Ordinarium Urgellinum,* Lugduni, 1548, fo CLXXX v.

Valence, puisque dans cette ville, selon un cérémonial de 1533, la Sibylle, qui faisait son entrée après d'autres prophètes, « deu esta ja apparelada en la trona vestida com a dona » [1]. Et, ailleurs en Espagne, nous retrouvons des usages très semblables. Dans la cathédrale de Tolède, pendant tout le XXIIIe siècle la nuit de Noël, au chant du *Te Deum* faisait suite un chant dialogué entre la Sibylle et le chœur, la Sibylle étant représentée par « un seise vestido de mujer, con un traje de mangas perdidas ricamente bordado al gusto oriental », et qui « en la cabeza llevaba un tocado especie de diadema en forma como de mitra por su parte delantera » [2]. Et la cathédrale de León elle aussi, comme l'a écrit récemment R. Rodríguez, a connu au XVe siècle un usage analogue : la Sibylle, là encore, était figurée par un clergeon vêtu très richement et monté sur un cheval magnifiquement harnaché, qui venait d'une dépendance de la cathédrale et qui y faisait son entrée accompagné d'enfants de chœur, de trompettes, de tambours et d'autres musiciens [3].

Des indications recueillies par ce savant, il résulte que la cérémonie du chant de la Sibylle, à León, a varié au cours des âges. Dans la seconde moitié du XVIe siècle, elle dut subir l'influence des usages suivis à Tolède, puisqu'en 1581 les chanoines décidèrent que le maître des cérémonies s'adresserait à Tolède pour avoir des précisions sur « a qué tiempo y hora se ha de cantar » [4]. Et, d'après un manuscrit liturgique de la fin du XIIIe siècle, le *Judicii signum* était alors chanté au contraire par deux chanoines [5] : d'où il semble résulter que l'enfant de chœur faisant office de Sibylle doit être une introduction postérieure. C'est, me paraît-il, le cas aussi de Palma, puisque, selon Mgr Anglès, une *Consueta* datant du milieu du XIVe siècle nous fait connaître que, lors des matines de la veillée de Noël,

---

[1] J. L. Villanueva, *Viage literario á las iglesias de España,* vol. I, Madrid, 1803, p. 135.

[2] F. Asenjo Barbieri, *El canto de la Sibila,* in *Ilustración musical hispano-americana,* 1re année (1888), n° 7 (30 avril), pp. 50-51. Cette cérémonie a été décrite et les textes latin et castillan y relatifs reproduits par D. Felipe Fernández Vallejo, dans ses *Memorias de la Catedral de Toledo,* manuscrit qui se trouve, suivant R. Rodríguez, *El canto de la Sibila en la catedral de León,* in *Archivos leoneses,* vol. I (1947), p. 15, à l'Académie Royale d'Histoire de Madrid. Il serait souhaitable que cet ouvrage, ou tout au moins le passage qui nous intéresse, et qui est signalé en particulier par A. Morel-Fatio, in *Romania,* IX (1880), p. 468, dans son compte rendu de la thèse de M. Hartmann, *Über das altspanische Dreikönigsspiel,* Bautzen, 1879, fût un jour publié.

[3] R. Rodríguez, art. cit., p. 15.

[4] R. Rodríguez, art. cit., loc. cit.

[5] R. Rodríguez, art. cit., pp. 14 et 16.

l'évêque récitait la neuvième leçon, et qu'ensuite « sex presbiteri ascendant trunam, et duo incipiant alta voce *Judicii signum,* et chorus respondeat *Judicii signum.* Et predicti sex presbiteri, bini et bini, dicent omnes alios versus, et in fine cuiuslibet versus chorus respondeat *Judicii signum* » [1]. Texte dont nous voudrions qu'il fût plus clair, mais qui signifie, si je ne m'abuse, que ces six prêtres étaient répartis en trois groupes de deux, chacun de ces groupes chantant à tour de rôle une strophe du *Judicii signum,* chaque strophe étant suivie comme d'un refrain, par la première strophe de la séquence, reprise par le chœur, c'est-à-dire par le groupe formé par les quatre autres ecclésiastiques.

Le fait qu'à Alghero c'est aujourd'hui un chanoine qui chante *Al jorn del Judici* est-il donc un reflet d'un état plus ancien de la cérémonie, antérieur à l'introduction du clergeon travesti ; ou bien s'agit-il au contraire d'une *relitur gisation,* si je puis inventer ce mot, du rôle qui aurait été plus anciennement celui de la Sibylle, c'est-à-dire de l'enfant de chœur costumé plus ou moins en femme ? Le manque de documents anciens ne nous permet même pas de formuler une hypothèse. Un détail cependant, l'épée que porte un des accompagnateurs du chanoine chantre, me ferait supposer qu'à Alghero comme à Palma aujourd'hui et comme ailleurs en Catalogne et en Espagne autrefois, l'*Al jorn del Judici* a dû être confié jadis à un clergeon travesti. Ce détail de l'épée est en effet un accessoire typique de la Sibylle : actuellement encore, à Majorque, c'est le clergeon-Sibylle qui la porte, et à Lluchmajor et à Manacor, il s'en sert, une fois qu'il est redescendu de la chaire, pour trancher un fil supportant de multiples oublies, dont s'emparent les enfants qui assistent à la cérémonie [2]. A Tolède, la Sibylle était accompagnée par quatre enfants de chœur, dont deux, représentant les anges, tenaient dans la main droite une épée nue, la pointe en l'air, qu'ils brandissaient par trois fois après chaque strophe de la séquence. Or l'usage et la présence de cette épée — détail que nous ne retrouvons pas dans la description du costume de la Sibylle des *Processions des Prophètes* de Laon et de Rouen — sont inspirés directement par le texte même du sermon attribué faussement à saint Augustin, sermon qui est, on le sait, l'origine du texte de la *Procession.* Immédiatement avant le *Judicii signum,* nous lisons ceci : « Quid Sibilla vaticinando etiam de Christo clamaverit in medium proferamus, ut ex uno lapide

---

[1] H. Anglès, op. cit., p. **300.**
[2] F. Pujol, art. cit., p. 217.

utrorumque frontes percuciantur, Iudeorum scilicet atque paganorum, atque suo gladio, sicut Golias, Christi omnes percuciantur
inimici. » [1]

Quelle que soit l'ancienneté et la signification du chant du *Al
jorn del Judici* par un chanoine, à l'Alghero; que ce chanoine représente une cléricalisation, une *reliturgisation,* comme j'ai dit, d'un personnage qui aurait été antérieurement un enfant de chœur travesti
en Sibylle, ou qu'au contraire ce chanoine représente un stade plus
archaïque que celui qui s'est conservé à Majorque, et que ce chanoine chantre soit le descendant direct des prêtres officiants dont
nous avons constaté la présence dans la cérémonie qui nous intéresse,
à Palma par exemple au XIVe siècle, cela n'a pas une grande importance. Ce détail, une fois de plus, nous fait toucher du doigt combien
la *Représentation des Prophètes* a pu, a dû se modifier suivant les
lieux, les dates, les circonstances, combien elle pouvait s'amplifier ou
au contraire se simplifier, se séculariser ou au contraire se rapprocher
des usages ordinaires de la liturgie. Des trois éléments dont se compose le rite que nous avons étudié, l'un d'eux, le texte du chant, est
extrêmement proche encore de celui attesté au XVIe siècle sur la
terre ferme ; le second, la musique, est certes apparenté, dans ses
grandes lignes, à la mélodie ordinaire, mais en diffère néanmoins par
de très nombreux détails ; le troisième enfin, le cérémonial n'a plus
qu'un lien ténu avec ce que l'on peut voir aujourd'hui encore à
Palma et ailleurs à Majorque, avec le peu que nous font connaître
les anciens livres liturgiques. Que ces éléments soient toujours suscep-
tibles d'évoluer, de se transformer, c'est ce que nous avons pu constater en rapprochant la mélodie de 1820 à Alghero de celle qui est
aujourd'hui en usage. Mais qui nous dira jamais comment et pourquoi le cérémonial s'est modifié ?

---

[1] K. Young, *The Drama of the Medieval Church,* vol. II, Oxford, 1933,
p. 130.

JAZME OLIOU
VERSIFICATEUR ET AUTEUR DRAMATIQUE
AVIGNONAIS DU XVᵉ SIÈCLE

Qu'il se soit trouvé, dès le commencement du XVᵉ siècle, des Avignonais qui écrivaient le français, et qu'alors déjà le peuple comprît assez cette langue pour assister à des représentations théâtrales données presque certainement en langage d'oïl, c'est là un fait bien connu, grâce en particulier aux recherches minutieuses du Dʳ Pansier. C'est à ce dernier, en effet, que nous devons de savoir qu'en juillet 1470 on joua dans le cimetière de l'église Saint-Symphorien une pièce, un miracle vraisemblablement, intitulé *Jeu de Sainte-Barbe* [1], et que cette représentation fut suivie de beaucoup d'autres : en 1488, par exemple, en janvier 1493, en 1496 [2] ; c'est à cet érudit aussi que nous devons de connaître les productions poétiques de divers auteurs avignonais de la même époque : quelques pièces écrites par le roi René de Provence, un quatrain d'amour, daté du 9 décembre 1468, dû à un bazochien, quelques vers ayant comme auteur Claude Sauvan, un autre bazochien, un noël composé en 1492 par le tabellion Jérôme de Châteauneuf [3]. Je voudrais aujourd'hui ajouter à cette liste le nom d'un écrivain avignonais de langue française resté inconnu jusqu'ici : Jazme Oliou.

Si dans la première moitié du XVᵉ siècle déjà nous trouvons des actes notariaux plus ou moins imprégnés de français — marché passé en français en 1422 entre Etienne Bompuys, marchand et bourgeois de Paris, et Guillaume Eymonin ; sentence arbitrale entre Thomas Cavallier et Odoart Brochot en 1447, en provençal très francisé — si, selon les paroles de Brun, par l'influence des immigrés le français

---

[1] P. Pansier, *Les débuts du théâtre à Avignon à la fin du XVᵉ siècle*, in *Annales d'Avignon et du Comtat Venaissin*, 6ᵉ année (1919), p. 13.

[2] P. Pansier, art. cit., pp. 14 et 15.

[3] P. Pansier, art. cit., pp. 35-40.

semble s'insinuer parmi les habitants d'Avignon, et si dès cette
époque « les notaires sont plus ou moins capables de le manier, à
une date où leurs confrères du Midi en seraient bien empêchés » [1],
il semble bien, par contre, qu'antérieurement à 1400 la langue littéraire d'Avignon ait été le provençal, à côté naturellement du latin,
langue officielle [2] : et il n'y a là rien que de très naturel. On connaît,
en effet, la traduction en vers provençaux que fit de la *Practica chi-
rurgiae* de Roger de Parme un médecin-chirurgien du nom de Rai-
mon d'Avignon, qui avait étudié à Salerne et qui vivait dans la
seconde moitié du XIIe siècle — sa traduction doit dater, ainsi que
l'a établi Ant. Thomas, des environs de 1200 [3] ; — on connaît aussi
un autre Raimond d'Avignon, auteur d'une pièce que Picot a considéré comme étant un monologue [4], et Rajna comme un « sirventese
del maestro di tutte l'arti » [5], genre qu'il définit « una lunga diceria,
nella quale un uomo che si pretende esperto in ogni cosa viene enu-
merando la serie infinita delle sue abilità » [6] : cette pièce — peu
nous importe ici le genre dans lequel on la doit classer — est une
énumération assez comique des talents divers d'un personnage, énumération qui forme une litanie de 78 vers dont voici le début :

> Sirvens sui avutz et arlotz,
> E comtarai totz mos mestiers,
> E sui estatz arbalestiers,
> E portacarn et gualiotz,

---

[1] A. Brun, *Recherches historiques sur l'introduction du français dans les pro-
vinces du Midi,* Thèse de Paris, Paris 1923, p. 388.

[2] Cf. P. Pansier, *Histoire de la langue provençale à Avignon du XIIe au
XIXe siècle,* t. I, Avignon 1924, p. 37.

[3] Sur cette traduction, cf. A. Thomas, *La chirurgie de Roger de Parme en
vers provençaux ; notice sur un ms. de la Bibliothèque de Bologne,* in *Romania,*
t. X (1881), pp. 63-74 : Thomas avait d'abord lu le nom de l'auteur *Raimond
Aniller* ; mais, dans une note publiée dans le même volume de la *Romania,* p. 456,
il admit qu'il fallait lire *Raimond d'Avignon.* Cf. aussi A. Thomas, *La versification de la chirurgie provençale de Raimond d'Avignon,* id., vol. XI (1882),
pp. 203-212. Pour établir cette date approximative de 1200, Thomas se base sur
le fait que l'auteur mentionne un Raimond d'Uzès, dit Rascas, seigneur d'Uzès de
1168 à 1209. Cf. enfin J. Anglade, *Histoire sommaire de la littérature méridionale
au Moyen Age,* Paris 1921, p. 187.

[4] E. Picot, *Le monologue dramatique dans l'ancien théâtre français* (second
article), in *Romania,* t. XV (1887), pp. 496-497.

[5] P. Rajna, *Il Cantare dei Cantari e il Sirventese del maestro di tutte l'Arti,*
in *Zeitschrift für romanische Philologie,* t. V (1881), p. 1.

[6] P. Rajna, art. cit., p. 2.

E rofian et baratiers,
E pescaires et escudiers
E sai ben de peira murar... [1]

Ce Raimond d'Avignon, sur lequel manque tout renseignement précis, aurait vécu au XIIIe siècle selon Picot, « comme l'atteste », dit-il, « la langue même qu'il écrit » [2]. Mais peu après, il a dû se trouver dans la ville d'Avignon, au moins occasionnellement, l'une ou l'autre personne capable d'écrire le français, ou qui prenait plaisir à lire des œuvres littéraires écrites en français : j'en veux voir une preuve dans un manuscrit, conservé aujourd'hui à la Bibliothèque Laurentienne de Florence [3], qui contient le *Roman du Saint Graal* en prose. Ce manuscrit — et c'est ce qui nous intéresse — a certainement été copié à Avignon en 1319, ainsi qu'en témoigne l'indication suivante, écrite de la main même du copiste du volume : « *Actum anno domini Iohannis pape XXII, anno tertio, in civitate Avinonensi.* » Cette note est insérée entre deux miniatures qui occupent la largeur d'une colonne du texte ; et la miniature supérieure pourra peut-être nous révéler le premier possesseur du manuscrit, puisqu'elle nous donne des armes qui sont : écartelé, au 1 et 4 d'argent (le champ, semble-t-il, est semé de besants ou de billettes de gueules) au lion passant d'azur ; au 2 et 3 d'or à deux fasces de gueules. Cet écusson pose une énigme héraldique que je souhaite voir résolue par un érudit provençal : j'avoue n'avoir pu déterminer le possesseur de ces armes, au moins du premier et du dernier quart; le champ d'or aux deux fasces de gueules pouvait appartenir à la famille de Trians-Montmajour [4]. Quoi qu'il en soit l'origine purement avignonaise du manuscrit est hors de doute : et nous avons là, si je ne fais erreur, le témoin le plus ancien de la connaissance du français dans la cité des papes. Il fallait, je le répète, qu'il y eût à Avignon en 1319 au moins un scribe sachant copier le français, et connaissant fort bien cette langue — le texte du manuscrit ne

---

[1] Elle a été publiée d'abord par Raynouard, *Choix des poésies originales des troubadours*, t. IV, pp. 462-465, puis par Bartsch, *Chrestomathie provençale*, 2e et 3e éd., p. 307 ; 4e éd., p. 209, etc.

[2] E. Picot, art. cit., p. 496.

[3] La cote du ms. est : Codici Ashburnhamiani no 121. Pour la description du volume, cf. Ministero della Pubblica Istruzione ; Indici e Cataloghi ; VIII. *I Codici Ashburnhamiani della R. Biblioteca mediceo-laurenziana di Firenze*, Roma 1838, p. 69.

[4] Th. de Renesse, *Dictionnaire des figures héraldiques*, t. V, Bruxelles 1900, p. 256.

présente, en effet, aucune trace d'influence d'une autre langue, — et au moins une personne riche et cultivée, pour laquelle a été copié et enluminé ce volume, qui prenait plaisir à lire des romans dans la langue d'oïl. Il est vrai que le propriétaire de ce manuscrit a pu n'être pas Avignonais de naissance : je ne serais pas étonné qu'on dût le chercher parmi les premiers arrivés de la cour pontificale ou de ceux qui furent attirés par celle-ci — on sait que, si c'est en 1309 que Clément V transporta le Saint-Siège à Avignon, ce ne fut qu'en 1316 que la cour pontificale s'y établit réellement, et que les cardinaux s'y installèrent : — et cela ne ferait que confirmer la supposition de Pansier, qu'« avec des papes et des cardinaux français, entourés de français, la langue d'oïl était certainement usitée, au moins dans le milieu de la cour pontificale » [1].

Mais, c'est à Jazme Oliou que je veux en venir. D'où était-il, ce Jazme Oliou ; que faisait-il ? Tout ce que je sais sur son compte, pour le moment, c'est ce que je puis déduire de ses œuvres. Son nom, il l'a écrit plusieurs fois sous diverses formes — Jaque, Jaquemart bon companhon, Jaquemart, Olivi Jacobus, Jazme Oliou — sur les deux faces du premier feuillet d'un volume qui, nous le verrons tout à l'heure, lui a appartenu [2] : je pense que son nom habituel, à Avignon, était Jazme Oliou ; il le latinisait en Jacobus Olivi et, pour ses amis parlant français, pour les comédiens d'occasion ses camarades, il s'appelait Jaquemart, forme qui est, inutile même de le dire, un hypocoristique français de Jacques.

Etait-il Avignonais d'origine ou de naissance, ou était-il simplement venu s'établir à Avignon à un moment donné ? Rien dans ses pièces ne nous renseigne sur ce point [3]. Mais qu'il ait habité Avignon, et que la moralité qu'en tout cas il a composée ait été destinée à être représentée à Avignon, c'est ce qui ne fait aucun doute. Dans cette pièce, qui a comme titre : *Moralité à VII personatges, c'est ascavoir le Messatgier, Argent, Bon Advis, L'homme, Fort Despenseur, Terre, Bien et Mal* — pour simplifier, je l'appellerai désormais la *Moralité d'Argent,* — pièce sur laquelle nous reviendrons, l'Homme, après s'être plaint de ce que Argent n'est plus fort et beau comme jadis,

---

[1] P. Pansier, *Histoire de la langue provençale à Avignon,* t. I, p. 37.

[2] Le recto de ce feuillet a été reproduit par E. Picot, *Recueil général des sotties,* t. I, Société des anciens textes français, Paris 1902, p. 3. Picot lit erronément *Jayme* Oliou, forme qui n'est pas provençale.

[3] Le nom en tout cas est méridional : on connaît Pierre-Jean Olivi, né à Sérignan (Hérault) en 1247, franciscain, condamné en 1278, mort à Narbonne en 1298.

mais qu'il a mauvaise santé et mauvaise mine, que maintenant il
est soumis aveuglément à Usure, se souvient de naguère ; et Bon
Advis lui dit :

> Or j'ay bien yssi demouré
> Aultre fois, je le vous asseure :
> Et depuis n'eust en vérité
> Pour ce païs bonne avanture...

Autrefois, dit-il :

> Ce fut en l'eure
> Que ce bon cardinal vivoit
> — Tres noble bonne creature
> Que de Foués le nom portoit —

tout allait mieux, alors. Et Argent lui-même se souvient de ce bon
cardinal et le regrette :

> Dieu li ait l'arme, par sa grasse,
> Quar Avinhon povet bien dire
> Que finement je alois par place :
> Et usure n'ausoit mot dire.

Bon Advis le pleure aussi, ce temps-là :

> Dieu si ait l'arme du bon sire,
> Car je estois fort de luy congneu.

Or, ce cardinal qui s'appelait *de Fouès,* et qui joua un si grand
rôle à Avignon, ne peut évidemment être que le cardinal Pierre de
Foix dit le Vieux, né en 1386 et fils, comme on le sait, d'Archam-
baud, captal de Buch. Evêque de Lascars à l'âge de vingt-deux ans,
il fut créé cardinal en 1413 ou en 1414 par Jean XXIII [1] ; en 1429,
il fut envoyé en Aragon pour extirper les restes du schisme et il réussit, dans un concile tenu à Tortosa, à obtenir la rémission de Gilles
de Munoz, antipape sous le nom de Clément VIII ; le 12 mai 1447,
le pape l'institua son légat à Avignon et dans le Comtat Venaissin [2].
Nommé archevêque d'Arles en 1450, il présida deux conciles à Arles
et à Avignon, résigna ses fonctions en 1462, et mourut le 13 décembre
1464. Et, en un mot, l'éloge que fait Jazme Oliou du cardinal de

---

[1] Eubel, *Hierarchia catholica medii aevi,* vol. II, ed. altera, Munster 1914,
p. 5.

[2] Eubel, op. cit., vol. cit., p. 29, no 108.

Foix dans cette moralité ne se comprend que si celle-ci a été jouée
à Avignon, pour un public qui avait pu apprécier le gouvernement
du cardinal ; vraisemblablement, elle a été composée par un auteur
qui, depuis peu ou depuis longtemps, habitait la ville. Ces éloges
semblent d'ailleurs si sincères, ils ont un tel accent que je croirais
volontiers que Jazme Oliou lui-même a dû l'avoir vécu lui-même,
ce bon temps où Pierre de Foix était légat. Il importe d'ailleurs de
remarquer que ces regrets du temps jadis n'ont, ainsi que le dit l'histoire elle-même, rien d'excessif : Pansier a déjà noté que « la léga-
tion du cardinal de Foix (1433-1464) fut longue et heureuse pour
le pays », et que la popularité du cardinal n'eut d'égale que celle
d'un autre grand seigneur, Alain de Coëtivy (1438-1474), évêque
d'Avignon vers la même époque [1].

Une autre pièce, sur laquelle nous aurons à revenir aussi, contient également la preuve qu'elle a été jouée à Avignon ; mais il
n'est pas certain — bien que cela ne soit pas improbable — qu'elle
soit l'œuvre de Jazme Oliou. C'est une farce, intitulée *Farce à quatre
personages et premieremant le Fol, le Mari, la Fame et le Curé* : le
Fol commence par un monologue, dont j'avoue ne pas saisir tout
l'esprit, mais que j'attribue volontiers à notre auteur, à défaut de la
farce tout entière ; il y est question, semble-t-il, d'une invasion
d'orthoptères ou de crustacés qui, remontant le Rhône, menaçaient
d'envahir la ville :

> ... Et tout le pay d'aviron
> Ont mis a leur sugesion,
> Tiellemant que seux de la vile
> Ont asanblé seux du concielhe
> Pour savoyr leur opinion,
> Sy illi se randront ho non ;
> Et on mande en Avinhon
> Que filent bien garder les portes,
> Quar si grant cantité de langostes
> Sont descandues ha Marcelhie,
> Qui ont si grandes les aurelhes
> Que s'est grant merevelhes !...

Les vers où Jazme Oliou fait l'éloge du cardinal de Foix nous
renseignent en même temps sur l'époque à laquelle il vivait, au moins
de façon approximative. Emile Picot, qui du manuscrit contenant

---

[1] P. Pansier, *Histoire de la langue provençale à Avignon*, t. I, p. 93.

la *Moralité d'Argent* a tiré un fragment d'une sottie à trois personnages, admet que ce fragment remonte au commencement du XVe siècle. Il ajoute même qu'« une allusion aux bûchers allumés pour les Vaudois (vers 5) pourrait faire croire que la pièce est plus ancienne, car, après la terrible persécution dont les hérétiques du Dauphiné furent victimes, en 1380, ils purent respirer à peu près librement pendant un siècle ; mais un autre passage (vers 60) se rapporte selon toute vraisemblance à la lutte des Armagnacs et des Bourguignons (1410-1435) » [1]. Il n'est pas certain, évidemment, que ce fragment de sottie soit l'œuvre de Jazme Oliou : peut-être l'a-t-il simplement copié et inséré dans son recueil. Mais, en tout cas, la mention des Vaudois n'a pas du tout la valeur que lui attribue Picot. Un Sot demande l'aumône et se plaint d'avoir été brûlé : un autre Sot lui demande alors pourquoi il a été brûlé, si c'est comme sorcier ou Vaudois :

> Il n'estoit sorsiés ne Valdois
> Ou bien estoit de lieur afere ?

Ce passage n'enseigne qu'une chose, quant à la chronologie de l'œuvre : c'est qu'elle est postérieure à la période de persécution des Vaudois, postérieure c'est-à-dire à 1380. L'allusion à des luttes qui auraient eu lieu en Bourgogne est plus claire : il y est question, aux vers 61 et 62, de

> En Bourgogne tenir les rans,
> Ou espians sur les chemins,

et cela peut fort bien se rapporter, comme l'a vu Picot, aux luttes entre Bourguignons et Armagnacs. Mais la mention du cardinal de Foix, et les souhaits que l'on fait pour le repos de son âme, démontrent on ne peut plus clairement que la *Moralité d'Argent* en tout cas est postérieure à la mort de Pierre de Foix, soit postérieure au 13 décembre 1464. Bien plus : pour que la figure de ce légat ait pu être mise en pleine lumière, pour que le peuple ait eu le temps de le regretter, il faut admettre qu'un autre légat aura déjà gouverné Avignon depuis quelques années, qu'on aura pu établir ainsi une comparaison entre le présent et le passé : de sorte que je pense que la *Moralité d'Argent* a été écrite et jouée aux alentours de 1470. Il n'est pas vraisemblable que Jazme Oliou ait été très âgé quand il

---

[1] *Recueil général des sotties,* p. p. Emile Picot, t. I ; Société des anciens textes français, Paris 1902, p. 1.

écrivit ses poésies, ainsi que sa ou ses pièces de théâtre, et quand il en dirigea les représentations: au risque d'être trop précis, je le ferais naître vers 1440-1450, et je l'attribuerais par conséquent plutôt à la seconde moitié du XVe siècle.

Qu'était-il ? Quelles études avait-il faites ? Bien qu'il connût le provençal, et que ce fût là presque certainement sa langue maternelle — il se trahit jusque dans ses pièces françaises, en copiant des rimes telles que *ville* et *pilha*, en écrivant *testa* au lieu de *teste, alotgier, passatge, personatges,* en employant des provençalismes tels que *atrouver* pour « trouver », *assouire* pour « achever », *apointer* pour « régler », et des formes comme *veuzes* « veuves », *eschadefauls* pour « échafaud » — il connaissait assez bien le français, assez bien du moins pour pouvoir l'écrire sans trop de fautes — avec, il est vrai, une orthographe particulièrement compliquée, bizarre et variable — et pour pouvoir composer dans cette langue des vers dont la moitié au moins sont incorrects. Nous savons qu'il signait Jacobus Olivi : c'est qu'il connaissait aussi le latin. Dans la *Moralité d'Argent,* une bonne partie des indications scéniques sont en cette langue, de même que, nous le verrons, sa signature à la fin de la pièce. Et dans cette même moralité, les citations latines ne manquent pas : il cite « le saige » qui a dit que « nil sercius morte, nec insercius eius hora » ; il cite saint Bernard dans les vers qui suivent : « nec modo lecteris, quia forsan cras morieris ». Quelques pages plus loin c'est le tour du « Caton », soit des distiques du pseudo-Caton : « uxorem fuge ne ducas sub nomine doctis, ne retinere vellis si ceperit esse molesta ». La Terre rappelle enfin à l'Homme sa fragilité : « Memento homo quia es cinis, et in cinerem reverteris » et, quelques vers plus loin : « Memento quod sicut lutum fecerant mei, et in pulverem redusses me. »

Voilà pour les citations latines qui figurent dans la *Moralité d'Argent,* et qui témoignent incontestablement de la science de Jazme Oliou. Elles suffisent pour nous montrer que nous sommes en présence d'un homme ayant fait quelques études: plutôt que de le croire juriste ou notaire, je verrais en notre auteur un clerc, un ecclésiastique vraisemblablement jeune encore, qui aurait fait peut-être une partie de ses études à Paris, où il s'était mis au courant de la technique et des règles suivies dans la composition des moralités — nous verrons que, ces règles, il les connaît et les suit au moins en partie — et qui, d'autre part, menait assez joyeuse vie et n'était nullement insensible au charme des Avignonaises, bien qu'il proteste que les représentations qu'il organise ne doivent servir qu'à l'édification du public : dans la *Moralité d'Argent,* en particulier, il dit que

nous nous voulons monstrer
Comment l'omme que est orgulheux
Va meschamment ses jours finer

Et, à la fin de la pièce, le Messager dit au public que c'est

Pour passer temps joyeusement
Et oussi pour pancer des ames
En aquerant leur sauvement

que

Avons empris l'esbatement
De une moralité notable :
Dieu don que nostre enseignement
Peust estre a toux profitable !

* * *

Bien que le manuscrit nº 116 du fonds Ashburnham de la Bibliothèque Laurentienne soit presque entièrement occupé par l'œuvre la
plus considérable de Jazme Oliou, la *Moralité d'Argent,* le verso du
premier feuillet, ainsi que le recto du deuxième, contiennent deux
poésies qui sont sans doute aussi de notre auteur: la seconde en tout
cas, puisqu'il l'a signée.
Voici la première :

Puis que chanter suis requis,
Je chanteray chanson nouvelle
Por une gente damoiselle
Qui m'a mostré gracieulx ris.

Se j'estoie en paradis,
La on est toute la noblesse,
Et je ne visse ma maistresse,
Mon cuer ne porroit regousir.

Mais si m'ait Dieulx, il m'est advis
Que la belle m'ame tres bien :
En ce monde je ne veulx rien,
Mais que je soie amé d'elle [1].

---

[1] Bibliothèque Laurentienne, Florence, ms. Ashburnham nº 116, fº 1 vº.

Est-ce cet amour qu'il chante — ou d'autres semblables peut-être — d'une façon si personnelle qui a scandalisé certains Avignonais et qui a provoqué des commérages et des médisances ? Ce qu'il y a de certain, c'est que dans une ballade signée, Jazme Oliou s'élève avec force contre ces médisants qui parlent inconsidérément, qui jouent avec l'honneur d'autrui et ne mesurent pas suffisamment leurs paroles ni la portée de ces paroles. Cette ballade qui porte comme titre « Balade, faite pour mesdisans qui les paroles ont nuysans », je la reproduis ici telle quelle : chaque strophe a douze vers qui ont théoriquement sept ou trois pieds, — l'envoi seul est formé de vers qui devraient avoir huit pieds : — mais il s'en trouve de trop longs d'un ou de deux pieds. Jazme Oliou, qui les a signés, en a seul la responsabilité.

Faulces lengues et faulx report
Sans desport
M'onlt mis en tres grant dangier,
Tant qu'ay prins en moy si fort
Desconfort,
Qu'ay perdu boyre et manger.
Et portant on doit songier
Sans targier
Les parouled avant qu'on la die,
Et non pas auxi rongier
Ne changer
Gens qui sont de bonne vie !

Ce n'est pas ung petit dit
Qui est dit
Sur aulcungz par gelousie,
Car trop grandement il nuyt
Et me bruit
Par mesdisans pleins d'envie.
Ceulx qui sont de bonne vie,
Quoy qu'on die,
Ne cessaront ja por eulx
De mener grant chiere lie
Sans fenie,
En despit des envieux.

O gens de maulvais corage,
Pleins de enrage,
Qui alés ainssi parlant,

Regardés vostre linage,
Si estes sage,
Qui va bien triquebalant :
Puis que vous avés tallant
Non cessant
De dire telles paroulles,
Vous en pourriés ouyr tant
Que la gent
Vous tiendra pour bestes foulles !

Prince que tenés les escoles
Des compaignons de bone vie,
Faites cesser, je vous en prie,
Ceulx qui vonlt disant tielz paraboles !

Faite par moy **Jazme Oliou.**

* * *

Cet envoi précisément a déjà été remarqué. Mlle Del Valle de Paz, étudiant le miracle de saint Nicolas qui est contenu dans le manuscrit 115 de la collection Ashburnham de la Bibliothèque Laurentienne, manuscrit qui est, nous le verrons bientôt, le frère jumeau de notre manuscrit 116, fait de Jazme Oliou l'un des membres d'une société d'artistes dramatiques au chef de laquelle — le « prince » de la ballade — celle-ci aurait été dédiée [1]. Elle ajoute que cette société n'a certainement pas été sans rapports avec les milieux scolaires, et qu'elle avait pour protecteur saint Nicolas, disant que « si può concludere che la compagnia era sotto il nome di S. Nicola appunto perchè i suoi membri appartenevano o avevano appartenuto alla famiglia scolastica : uno studio accurato sul *Jeu d'argent* potrebbe forse far venir fuori altre notizie più precise » [2]. Je crois volontiers, quant à moi, que Jazme Oliou faisait partie d'une société d'artistes dramatiques : c'est par ce fait même que j'explique cet appellatif de « Jaquemart bon companhon » qu'il se donne. Je crois volontiers aussi que cette compagnie a joué les diverses pièces que nous trouvons dans nos manuscrits jumeaux — je ferai voir plus loin que celui

---

[1] Dott. Ida Del Valle de Paz, *La Leggenda di S. Nicola nella tradizione poetica medioevale in Francia,* Firenze 1921, p. 111. Cette étude n'a pas été mise dans le commerce.
[2] Dott. Ida Del Valle de Paz, op. cit., p. 112.

qui contient le mystère de saint Nicolas a certainement été en possession de Jazme Oliou — et que nous avons là tout ou partie du
répertoire de cette association. Je suis persuadé enfin que Jazme
Oliou était en étroits rapports avec les milieux estudiantins : à
l'époque où il écrivit ses ballades et sa moralité, c'est à peine sans
doute s'il venait de terminer ses études. Mais j'ai peur que Mlle Del
Valle de Paz ne soit allée trop loin dans ses conclusions. Dans ce
prince qui tient « les escoles des compaignons de bonne vie », faut-il
voir véritablement le régisseur ou le directeur de la troupe ? Ce n'est
pas impossible, certes, mais ce n'est aucunement prouvé. Et quant à
faire de saint Nicolas le patron de la société, c'est possible aussi —
on sait que la Basoche du Châtelet, qui représentait des mystères,
avait précisément ce saint pour patron, — mais cela ne peut se prouver par les arguments avancés par Mlle Del Valle de Paz. Comme
preuve, elle donne en effet trois vers du mystère de saint Nicolas qui,
remis dans le contexte, ne prouvent plus rien — elle interprète d'ailleurs les mots « saint Nichoras... et... tote sa companiie » comme
désignant la société de comédiens dont elle veut assurer l'existence,
alors que cette « companiie » est la phalange des saints qui entourent
au ciel l'évêque de Myre ; — et le fait que cette société avait un
miracle de saint Nicolas dans son répertoire ne suffit nullement à
démontrer, ni même, comme Mlle Del Valle de Paz le veut, à faire
supposer que ce saint était le patron de l'association.

Mais, s'il est seulement possible que Jazme Oliou ait été acteur
il n'y a par contre aucune raison de lui dénier l'honneur d'avoir été
auteur. La *Moralité d'Argent,* en effet, qui occupe la plus grande
partie du ms. 116, est signée par lui. Avec un mélange de fausse
humilité et de naïve vanité littéraire, il écrit, à la fin de la pièce :
« Explicit moralitas. Deo gracias amen. Ita est Jacobus Olivi. Meum
nomen ego non pono, quia me laudare nolo et cum hoc ego non
bene stabo ; sed si fortiter volitis scire, Olivi Jacobus est ille. » Par
ailleurs, il convient de remarquer que la pièce tout entière a été
transcrite de la main même de son auteur. Ce n'est pas un brouillon:
nous sommes manifestement en présence d'une copie destinée ou au
régisseur, ou — moins probablement — à l'un des acteurs. Mais —
et c'est ce qui est intéressant — cette copie nous montre les différents états par lesquels a passé la pièce: le titre primitif est « *Moralité a VII personatges c'est ascavoir le Messatgier, Argent, Bon Advis,
l'Homme, Fort Despenseur, Terre, Bien et Mal* »[1] et il est suivi d'un

---

[1] Ms. cit., f° 2 ^{vo}.

premier prologue débité par le Messager. Ce prologue contient, ceci soit dit en passant, quelques vers où auteur et acteurs s'excusent de leur langue et de l'audace qu'ils montrent en donnant une représentation en français — ce qui ferait supposer qu'alors encore les pièces théâtrales en provençal n'étaient pas rares à Avignon, — vers que je cite ici :

> ... nous ferons nostre devoir
> De jouer le mieulx que nous pouvons,
> Combien que fransois ne soions.

Mais cette première version de la moralité, version à sept personnages, fut bientôt remplacée par une version à huit personnages, le huitième étant le Fol. De nouveau, le Messager entre en scène le premier, débitant un prologue beaucoup plus amphigourique que le précédent ; mais il convient de noter que la tirade du Fol n'est pas insérée dans le texte à la place due : un simple signe en marge, avec une annotation, renvoie à la fin de la pièce, où se trouve le monologue en question. Jazme Oliou n'a donc voulu que changer le prologue, et le rôle du Fol ne serait qu'une addition postérieure : ce qui le prouve, c'est que dans la mention [1] « a VIII personatges » la dernière unité est écrite d'une encre plus claire, de même que l'indication « et le Fol » à la suite des noms des sept premiers personnages.

La fin également a été remaniée à plusieurs reprises. Dans la rédaction la plus ancienne, l'Homme terminait sa dernière tirade ainsi :

> Et sur ce congié nous prenons
> De la roiale magesté
> Tant humblement que nous povons,
> et de toute sa parantelle ;
> Et oussi bien d'aultre cousté
> De trestoute la seignorie
> Que est an luy en vérité
> Pour luy tenir si compaignie ;
> Des dames et des damoyselles
> Tout aussi bien, nous entendons.
> Et si pour rien par nous novelles
> Et si maul dit riens nous avons,
> Pardon auxi nous requerons
> Exprès a la roial seignorie,
> Et Dieu de bon cuer toulx prions
> Qu'il les maintieigne (toulx) en chiere lie.

---

[1] Ms. cit., fo 4.

Après quoi venait un « congié du jue » débité vraisemblablement par le Messager. Les vers qui précèdent sont intéressants: ils ont d'ailleurs attiré l'attention déjà du rédacteur du catalogue des *Codici ashburnhamiani della R. Biblioteca medico-laurenziana*[1], et de Mlle Del Valle de Paz[2], qui note justement que la moralité a été jouée en présence d'un roi — et, aurait-elle pu ajouter, en présence d'une cour qui paraît avoir été assez nombreuse. Quel est ce roi ? Il n'est pas impossible qu'il s'agisse du roi René de Provence : Pansier dit que, à cette époque précisément, « la cour de Provence... fit de fréquents séjours à Avignon, où le roi René avait acquis un palais pour lui et une habitation pour sa maîtresse, la comtesse de Sault. » Et il continue : « On parlait français à la cour du bon roi René ; il devint bon genre pour les gens d'Avignon de faire comme les seigneurs de la cour. »[3] Une fois de plus, nos textes ne feraient que confirmer les assertions de Pansier : ç'aurait été peut-être pour être plus agréable encore au roi, que Jazme Oliou aurait organisé cette représentation en français, de sorte que nous aurions dans la *Moralité d'Argent* une preuve tangible de l'influence exercée par la cour du roi René sur l'état linguistique de la ville d'Avignon.

Mais, dans les représentations successives, le roi n'était plus parmi les auditeurs, semble-t-il. Avant même qu'Oliou eût procédé à des remaniements importants de la finale de sa pièce, il cancella le vers « de la roiale magesté » et le remplaça par « de toute la compagnie », qu'il fit suivre d'une série de tirades nouvelles dites par l'Homme et par la Terre, où se trouvent différents passages particulièrement travaillés. Plus tard encore, il ajouta quelques pages qui devaient être insérées à divers endroits de la pièce ; il écrivit aussi un troisième prologue[4], ainsi qu'une nouvelle « fin de jeu »[5].

Mais ces changements, sauf deux, n'affectent que le commencement et la fin de la pièce, et ne modifient en rien le cadre général. Le but de la pièce, nous l'avons vu, était foncièrement moral : dans le premier et le second prologue — celui-ci étant, au moins pour les vers qui suivent, la copie fidèle de celui-là, — le Messager annonce que

Seigneurs, nous vous voulons monstrer
Comment l'omme que est orgulheux

---

[1] Op. cit., pp. 63-64.
[2] Dott. Ida Del Valle de Paz, op. cit., p. 111.
[3] P. Pansier, op. cit., t. I, p. 93.
[4] Ms. cit., fo 31 vo.
[5] Ms. cit., fo 32.

Va meschamment ses jours finer.
Car veult estre ault et ponpeux,
Et loyault gouvert Bon Advis
Ne veult croyre en fais ne dis,
Quar bien ne luy fait ses desirs.
Mais Fort Despenseur est son ami,
Quar satisfait a sses plaisirs :
Bien le servira a sa plaisance
Et sens fere grant demourance.
Aussi Argent est son mignon,
Car le fournit toute saison
Et luy suplet a tout aultrance,
Sens deslaer, a sa plaisance :
Mais a la fin la terra s'avance
Pour l'enpoigner toust au colet ;
De quoy le tient a grant aultrance,
Car pas cella il ne pansset [1].

Et c'est là le résumé de toute la pièce. Argent, en effet, entre en scène en nous entretenant de ses qualités et de ses défauts; Bon Advis le rejoint et le reconnaît avec peine, tant il a changé: c'est là le point de départ d'une satire d'un décri de monnaies qui venait d'avoir lieu, satire qui sans doute devait enchanter les auditeurs. Car l'Homme arrive à son tour, et n'en peut croire ses yeux quand Argent se présente à lui :

L'Homme

Helas ! que vous estes fondu !...
Vous estes changé grandement !
Mauldit soit qui vous a tenu !
C'est pitié vous voir maintenant :
Vous souliés estre si freschant,
Si fin, si beau, si bon oussi,
Et de grande beauté luyssant !

Argent

Et oures ?

L'Homme

Trestout que noirsi...
Vous estes chargé lordement,
Et d'une meschante matiere... [2]

---

[1] Ms. cit., fos 4 et 4 vo.
[2] Ms. cit., fo 8.

Mais, après un instant à peine d'hésitation, et bien qu'Argent
lui apparaisse comme chargé

> Tout seurement de l'arquemis
> Qui ne vault trestout une noix [1]

l'Homme s'empare de ce dernier et, malgré les conseils de Bon Advis,
il exige immédiatement de son prisonnier des choses extraordinaires
— extraordinaires au moins, sans doute, pour le public auquel s'adressait Jazme Oliou : — il veut un cheval, un chien et un faucon pour
aller à la chasse, au lieu de demander plutôt, comme le lui suggère
Bon Advis

> Et pain et vin et char salée,
> De quoy si vous vous soubstendrés
> Faisant tousjours vostre besoigne [2].

Mais l'Homme dédaigne ces conseils, pour suivre aveuglément
ceux d'un nouveau venu, Fort Despenseur, qui flatte tous ses mauvais penchants et satisfait toutes ses fantaisies. Ce n'est pas tout :
voilà que l'Homme veut une amie, et il force Argent, déjà bien mal
en point, à lui en trouver une. Argent rencontre la Terre — allégorie
qui personnifie la mort, ou, si l'on veut, la terre, mère de l'Homme
qui, après l'avoir formé, le reçoit de nouveau dans son sein et
l'absorbe — qui, grâce à un mécanisme scénique, semble sortir peu
à peu du sol : elle accompagne Argent et enjoint à l'Homme de la
suivre. Celui-ci résiste, pleure, supplie : rien n'y fait, il doit mourir,
il doit rendre ses comptes ; et comme il n'a pas su bien employer sa
vie, comme il a mésusé d'Argent qu'il possédait, c'est en enfer que
la Terre l'entraîne, sans rémission.

« Beaucoup de moralités — a écrit Petit de Julleville — sont nées
d'une pensée religieuse ; elles mettent en scène les bonnes et les mauvaises influences qui se disputent le cœur de l'homme ; les unes
l'appelant au bien, à la vertu, à la récompense ; et les autres l'entraînant au mal, au vice, au châtiment éternel. Tantôt ces destinées
opposées sont personnifiées dans deux rôles distincts, dont les actions,
la conduite et la fin suprême offrent un perpétuel contraste ; et tantôt la moralité nous présente un même homme partagé, combattu
entre le bien le mal. » [3] Comme moralités appartenant au premier

---

[1] Ms. cit., fo 9.

[2] Ms. cit., fo 16.

[3] L. Petit de Julleville, *Répertoire du théâtre comique en France au moyen
âge,* Paris 1886, p. 40.

type, on peut citer *Bien Avisé, Mal Avisé, le Désespéré, l'Homme juste et l'Homme mondain* ; au second type — qui est, inutile même de le remarquer, le type de l'œuvre de Jazme Oliou — se rattachent les moralités de *l'Homme fragile, Concupiscence, la Loi, la Grâce* ; de *l'Homme, le Ciel, l'Esprit, la Terre, la Chair* ; de *l'Homme pécheur* aussi. C'est dire que, en ce qui concerne le cadre, la mise en œuvre de l'idée fondamentale de la pièce, la *Moralité d'Argent* n'est nullement isolée, qu'elle appartient au contraire à un genre de moralité bien connu.

Du reste, Jazme Oliou ne prétendait certainement pas innover. Quant au sujet, il a voulu simplement, comme sans doute il l'avait vu faire ailleurs, mettre sur la scène une idée morale qui n'avait rien de neuf ; quant au développement littéraire de ce sujet, il n'a fait que suivre aussi, de façon plus ou moins stricte, de façon plus ou moins heureuse, les règles auxquelles s'astreignaient les auteurs de moralités et d'autres pièces analogues au XVe siècle. On avait coutume de parsemer le texte de pièces à formes fixes, rattachées intimement quant au sens, au contexte : on retrouve dans la *Moralité d'Argent*, neuf triolets [1], un refrain [2], un double refrain [3] ; il était d'usage d'insérer çà et là des parties de longueur variable écrites en vers de quatre, ou plus commodément de cinq pieds, alors que les vers étaient en règle générale de huit pieds : cinq passages de la moralité sont en vers de cinq pieds [4], et un en vers de quatre pieds [5].

Ainsi donc, tant pour le fond que pour la forme, la *Moralité d'Argent* n'a rien d'original : ou, disons mieux, son auteur suit scrupuleusement les règles du genre. Jazme Oliou, en un mot, s'y montre élève docile, appliqué — avec, par ci par là, une idée heureuse, — mais son travail est loin d'être parfait : la versification en particulier en est très fréquemment défectueuse. Les vers trop longs sont légion, en effet, même si l'on admet qu'Oliou a été très large en matière d'élision ; et les vers trop courts sont légion eux aussi. Quant à la rime, elle est trop souvent rudimentaire. Ce qu'il y a de bizarre, c'est qu'il suffirait souvent d'une légère retouche pour corriger le vers, pour le rendre au moins passable : faut-il supposer que Jazme Oliou ait copié sa pièce un peu trop rapidement, ou qu'il ait été si attentif au sens qu'il ait négligé la forme métrique ? C'est possible, sans

---

[1] Ms. cit., fos 5, 5 vo, 6 vo, 7 vo (deux triolets), 13, 17, 19 vo, 27 vo.

[2] Ms. cit., fo 29. Cette partie est une des adjonctions.

[3] Ms. cit., fo 29. On y trouve des vers de sept et de trois pieds intercalés.

[4] Ms. cit., fos 9 vo sqq., 12-12 vo, 22-22 vo, 24 vo-25 vo, 26 vo-27 vo.

[5] Ms. cit., fo 21 vo.

doute : mais il est certain que l'auteur a revu son texte, qu'il y a ajouté des vers là où il s'est aperçu qu'un vers était sans rime, et les additions que nous avons indiquées prouvent clairement que notre manuscrit était en quelque sorte le manuscrit de chevet d'Oliou, qu'il s'en est servi à maintes reprises, puisque chaque fois qu'il retouchait son œuvre, il insérait ces changements dans ce volume.

Emettre un jugement sur la valeur littéraire de la *Moralité d'Argent* est chose assez facile : elle n'est ni plus mauvaise, ni meilleure que la plupart des pièces du même genre qui nous sont parvenues. Reconnaissons-lui même deux qualités — ou presque — : Oliou a tenté de mettre de la vie dans sa pièce, d'intéresser les spectateurs à cette moralité un peu sermonneuse, en y insérant cette satire de la situation monétaire d'alors, du décri de l'argent que le public devait supporter, et en y parlant du cardinal de Foix — passage qui devait trouver un écho dans l'auditoire. — Il a même été original une fois : alors que les autres moralités qui mettent en scène un homme ballotté entre le vice, d'une part, et la vertu, de l'autre, se terminent par la victoire de cette dernière, et par conséquent par l'apothéose de l'homme, il donne, lui, le dernier mot au vice : son personnage principal ne se corrige pas, dédaigne les conseils de Bon Advis, et ce n'est qu'alors qu'il est trop tard, au moment où la mort va l'emporter en enfer, qu'il se repent et reconnaît ses fautes et ses erreurs. Cette solution, d'ailleurs, n'était pas si mauvaise: sans doute devait-elle impressionner le public plus que la solution adoptée et développée par les autres dramaturges, et la leçon qui s'en dégageait, si elle était plus sombre et plus pénible, était aussi plus intelligible. Du reste, malgré quelques traces de pédantisme, il nous dit si simplement que

> ... pour vous dire vérité
> Nous avons bien petitement
> De sens et de audement
> Pour fere bien nostre vouloir ;
> Mais si Dieu plet, ung aultre fois
> A vostre plesir ferons mieux [1]

qu'on lui pardonne beaucoup de choses, de même que le bon roi René quand il assista avec sa cour à la « première » de la moralité, lui pardonna beaucoup de choses aussi, sans doute.

* * *

---

[1] Ms. cit., f⁰ 32.

Que la *Moralité d'Argent*, signée par Jazme Oliou, ait été destinée à être jouée à Avignon, c'est ce qui ne peut être mis en doute :
l'allusion au cardinal de Foix n'aurait eu aucune raison d'être ailleurs. Et que cette pièce ait été véritablement représentée, c'est ce
qui n'est pas douteux non plus: sans parler plus longtemps des modifications apportées successivement à la pièce par l'auteur, modifications qui prouvent que notre manuscrit était utilisé lors de représentations publiques, d'autres faits encore nous amènent à la même
conclusion. Les indications scéniques, par exemple, très nombreuses
sur les marges du manuscrit, montrent à l'évidence que tout était
prévu pour ces représentations ; on y notait jusqu'aux endroits, particulièrement importants — comme l'entrée en scène de l'Homme,
certains passages significatifs dits par Bon Advis — où l'on enjoignait
au public de faire silence, et où l'on soulignait l'importance de ce qui
allait suivre par un roulement de tambours ; notre manuscrit prévoit
aussi tous les arrêts, plus ou moins longs, qui donnaient aux acteurs
et au public quelques instants de repos : ce qui n'a évidemment sa
raison d'être que si le manuscrit, comme je l'ai dit déjà, était véritablement le livre de scène, à l'aide duquel le régisseur dirigeait la
représentation. Et Jazme Oliou devait être un régisseur comme celui
qui figure dans une miniature du milieu du XVe siècle, représentant
une scène du *Mystère de Sainte Apolline* [1] : « il est drapé dans une
longue chape à capuchon, sur la tête un bonnet de docteur ayant la
forme d'une tiare. Il tient le livre de scène dans la main gauche, et
sa droite, levée, presque menaçante, semble commander du bâton
aux ménestrels du paradis un sonore « silete » de tous les instruments
du jeu. » [2]

On peut donc considérer comme certain que la *Moralité d'Argent*, œuvre de Jazme Oliou, a été jouée à Avignon : et sans doute
l'a-t-elle été plus d'une fois. Connaîtrions-nous peut-être d'autres
pièces de théâtre qui, un jour ou l'autre du XVe siècle, ont suscité
les applaudissements des Avignonais ?

Le manuscrit nº 116 du fonds Ashburnham de la Bibliothèque
Laurentienne ne contient, après la *Moralité d'Argent* qui l'occupe
presque entièrement, que des hymnes latines pour la Nativité et la
fête de saint Etienne, deux cantiques français et un provençal pour

---

[1] Cette miniature est reproduite dans G. Cohen, *Histoire de la mise en scène
dans le théâtre religieux français du moyen âge*, nouv. éd., Paris 1926, pl. III,
p. 86.

[2] G. Cohen, op. cit., p. 174.

Noël [1]. Plutôt que d'y voir des œuvres de Jazme Oliou, je préfère
admettre qu'il les a copiés — ils sont en tout cas de son écriture —
et que, peut-être, lors des fêtes, il en dirigeait l'exécution, comme
sans doute il dirigeait l'exécution de sa moralité. Après une page qui
nous conserve une recette « ad habendum bonam vocem » [2], preuve
évidente que Jazme Oliou s'occupait de tout, et qu'il prenait soin
aussi des voix des chanteurs de noëls et des acteurs qui jouaient sous
ses ordres, nous trouvons un fragment de sottie qui a été publié par
Emile Picot [3]. Ce fragment ne peut guère s'analyser : Picot dit simplement qu'il « nous montre un personnage (le premier sot) aux
prises avec deux autres acteurs (le second et le tiers) qui lui demandent l'aumône. Chacun des deux mendiants fait valoir les infirmités,
le dénuement, les voyages, qui doivent lui permettre d'implorer la
charité publique ; mais, chaque fois, le premier badin écarte la prière
du mendiant par quelque réponse plaisante. Ces réponses sont tout
à fait analogues à celles que fait le roi d'Angleterre au jongleur d'Ely
dans une des rédactions de *La Riote du Monde* » [4]. Faut-il voir dans
cette sottie incomplète — elle était sans doute entière dans l'état primitif du manuscrit, dont les derniers feuillets paraissent avoir été
mis à mal — une autre œuvre de Jazme Oliou ? Picot n'hésite pas :
après avoir noté que ce volume contient une ballade signée par Oliou,
et une moralité recueillie, sinon composée par lui, dit-il (la mention
de la *Moralité d'Argent* lui a échappé), il ajoute que « bien que
notre sottie soit écrite d'une autre main, il n'y a pas de raison sérieuse
pour lui attribuer une autre origine qu'aux pièces réunies dans le
volume » [5]. Mais le fait que cette sottie est précisément écrite d'une
autre main ne rend-il pas cette attribution douteuse ? Certes, il n'est
pas impossible que Jazme Oliou soit l'auteur de cette sottie aussi —
il est peu probable, avouons-le, que, se sentant de l'inspiration et du

---

[1] Ces trois pièces ont paru sous le titre *Trois noëls avignonais du XVe siècle,*
in *Archivum romanicum,* vol. XIII (1929), pp. 358-369.

[2] Voici cette recette : « Item cape libram scilicet scorsam arboris appellati
termolet, move scortices primum et molle eam, destrempa eam vino albo et bibe
mane : et tunc bonam vocem faciet, et hoc probatum est et est verum. » (Ms. cit.,
fo 37 vo.) Ce mot *termolet* doit sans doute se lire *tremolet ;* Mistral, *Dictionnaire
provençal-français,* t. II, p. 1037 donne *tremoulet* avec le sens de « petit tremble ».
Raynouard, *Lexique,* t. V, p. 414, n'enregistre que le simple *tremol,* s. m.
« tremble ».

[3] *Recueil général des sotties,* p. p. Emile Picot, Société des anciens textes,
Paris 1902, t. I, pp. 5-10.

[4] *Zeitschrift für romanische Philologie,* vol. VIII (1884), p. 275. Note d'E.
Picot.

[5] *Recueil général des sotties,* vol. cit., p. 2.

génie dramatique, il ait commis une seule et unique pièce — : mais, de crainte de trop grossir son bagage littéraire, je préfère dire que cette sottie, fort probablement, a fait partie du répertoire de la troupe qui comptait Oliou parmi les siens, et que rien n'empêche d'admettre qu'elle a été jouée à Avignon.

Reste maintenant à examiner le contenu du manuscrit jumeau de notre manuscrit 116, soit du ms. nº 115 du fonds Ashburnham de la Laurentienne. Ce manuscrit a exactement les mêmes dimensions que le ms. 116 ; tous deux sont reliés de la même façon, et sont conservés dans un étui unique ; Picot avait raison, je pense, quand il dit [1] que « le ms 42 (actuellement le 115) paraît avoir toujours été joint au ms. 43 (actuellement 116) de la même collection ». Qu'ils soient à peu près de même origine, c'est ce que l'on peut suspecter déjà, et en examinant la langue — français avec quelques traces de provençal — dans laquelle ils sont écrits, et en jetant un coup d'œil sur les feuilles de parchemin qui leur servaient jadis de couverture, et qui, au siècle dernier sans doute, ont été reliées avec les volumes qu'elles protégaient : l'ancienne couverture du ms. 115 est formée d'une feuille de parchemin assez grande, dont les bords supérieur et inférieur sont relevés en dedans : il manque malheureusement le commencement et la fin de l'acte qui y était transcrit, mais ce qui en reste permet toutefois d'y reconnaître un testament en latin, avec de nombreux mots provençaux, testament fait en faveur d'une certaine Katherina Symonde, femme du testateur dont le nom nous est inconnu, par suite de la mutilation de l'acte. La feuille de parchemin qui servait de couverture au ms. 116 a rempli autrefois le même office pour un registre notarial, dont on peut lire à grand peine quelques indications sur la face extérieure : auparavant, c'était un acte réglant une question d'héritage d'un certain dominus Johannes, entre Jacobus Plonive (ou Plumine, Plonine, Plouine) et Jacobus Talhanderii : on y voit cité Arnaudus Laurencii, « serviens regius et preco publicus dicti loci Bellicadri », les signataires en sont Johannes Alizei, Petrus Hugonius, Bernardus Raymundi, Raymundus Boni g..., Bernardus Filioli, et l'acte a été dressé par Luquinus de Clavaro, notaire public royal, et Johannes Pulcri, clerc substitut du dit notaire, à Beaucaire.

Mais il y a plus : il est possible d'établir que le manuscrit nº 115 a lui aussi appartenu à Jaszme Oliou. Il n'y a pas mis sa signature,

---

[1] E. Picot, *Le Monologue dramatique dans l'ancien théâtre français* (troisième article, in *Romania*, t. XVII (1889), p. 260.

c'est vrai ; mais c'est tout comme, puisqu'au verso du dernier folio, soit au f⁰ 23, dont il ne reste d'ailleurs qu'un moignon représentant le milieu du feuillet — le reste ayant été rongé par l'humidité — nous trouvons une strophe entière, plus cinq vers formant la fin de la strophe précédente et trois vers et quelque chose de la strophe suivante, qui font partie d'une chanson dialoguée entre une belle et son amoureux, que la bienséance m'interdit de reproduire ici : et cette chanson y a été copiée par Jazme Oliou — qui sans doute en est l'auteur —, à n'en point douter, puisqu'elle est de la même écriture et de la même encre, à peine plus foncée, que la « Balade faite pour mesdisans qui les paroles ont nuysans » transcrite et signée, on le sait, par Jazme Oliou lui-même.

Il est certain, me semble-t-il, que ce dernier a été le possesseur de ces deux manuscrits ; et je proposerai donc, comme je l'ai fait pour la sottie du ms. 116, de voir dans les pièces figurant dans le ms. 115 des pièces du répertoire de la troupe théâtrale dont vraisemblablement Oliou était le régisseur, et d'admettre que ces pièces elles aussi ont été jouées à Avignon. Pour l'une d'elles, la preuve s'en trouve au surplus dans le texte lui-même : j'ai déjà eu plus haut l'occasion de parler de la *Farce à quatre personnes* qui commence par un monologue assez peu clair, où l'on envoyait dire à ceux d'Avignon qu'ils fassent bien garder les portes, de peur de voir leur ville envahie par des « langoustes » à grandes oreilles.

La première pièce qui figure dans le ms. 115, après un fragment de confession en provençal sans importance pour nous, c'est une *Moralité de Monseur sant Nicholas a XII personnes* qui a été publiée, de façon un peu négligée peut-être [1], par Mlle Del Valle de Paz en appendice à son étude sur la légende de saint Nicolas au moyen-âge [2]. A vrai dire, cette qualification de « moralité » que nous donne le manuscrit est inexacte : il s'agit d'un miracle [3]. Comme l'a remarqué Mlle Del Valle de Paz [4], ce miracle a été représenté — il a en marge des indications scéniques tout à fait analogues à celles de la *Moralité d'Argent* et, si je ne fais erreur, écrites de la même main — et même représenté plus d'une fois, puisque notre volume nous a transmis la pièce sous deux formes : une rédaction antérieure, d'abord, à douze personnages; une rédaction subséquente, dont notre

---

[1] Cf. le compte rendu sommaire de l'étude de Mlle Del Valle de Paz par A. Jeanroy, in *Romania,* t. L (1924), pp. 157-158.

[2] Dott. Ida Del Valle de Paz, op. cit., pp. 125-140.

[3] Id., op. cit., p. 112.

[4] Id., op. cit., p. 111.

ms. ne donne que les parties additionnelles, formées par une « diablerie » à trois personnages, Belzebuc, Satanas et Lucifer, dont les tirades s'inséraient à différents endroits de la première rédaction. Peut-être est-ce avec raison aussi que Mlle Del Valle de Paz juge que « il ms. dal quale uno dei « compagnons » copiò nel suo libretto la *Moralité de Monseur S. Nicholas* fosse anteriore al secolo XV » [1]. Je ne puis passer sous silence, toutefois, le fait que l'un des personnages du miracle, un brigand, porte le nom de Talebot: or, ce nom, s'il apparaît dans deux monologues villageois [2] écrits, l'un en 1541, et l'autre postérieurement à cette date, par des bazochiens de Poitiers — nous connaissons l'auteur du monologue de 1541 au moins: c'était le jurisconsulte Jean Boiceau — ne m'est pas connu antérieurement au *Miracle de saint Nicolas* ; et si l'on admettait que ce nom de brigand a été emprunté à John Talbot, comte de Shrewsbury, qui passa la plus grande partie de sa vie (il vécut de 1384 environ à 1453) en France, et y acquit ses plus beaux titres de gloire, il est évident qu'on ne pourrait songer à faire remonter le modèle de notre pièce au XIVe siècle. Mais, hâtons-nous de le reconnaître, il y a un moyen de tout concilier : c'est d'admettre que Talebot, nom de brigand dans notre miracle, n'est qu'un changement tardif, dû peut-être seulement au copiste du texte que nous examinons.

En tout cas, nous sommes en présence d'une copie, et même d'une copie mal faite, par quelqu'un qui ne semble pas avoir eu une connaissance très approfondie de la langue française — qui devait être la langue de la rédaction du miracle que l'on copiait : — preuve en est, comme l'a vu déjà Mlle Del Valle de Paz, que dans notre texte nous rencontrons fréquemment des vers cancellés qui apparaissent, à leur place véritable, plus haut ou plus bas [3]. C'est également par la copie que l'on peut expliquer que de nombreux vers ne riment avec rien, le vers suivant — les rimes sont en effet suivies — ayant été oublié par le scribe, et c'est par le fait que ce dernier ne possédait qu'imparfaitement le français que l'on peut expliquer que, sous sa plume, *vuyde* devient *vendue* (le mot devait rimer avec *cuyde*), que

---

[1] Id., op. cit., p. 113.

[2] Le premier de ces monologues, intitulé *Le menelogue de Robin lequo a predu son precez,* publié par E. Picot, *Le monologue dramatique...,* in *Romania,* t. XVII, pp. 207-214, nous montre Robin racontant son procès contre Talebot ; le succès de cette pièce amena un autre bazochien, peu après, à en composer la contre-partie : cette fois, c'est Talebot qui conte l'affaire (Picot, art. cit., loc. cit., pp. 214-217).

[3] Dott. Ida Del Valle de Paz, op. cit., p. 112.

atalanté devient *aculeté* (la rime est *volunté*), que *caresse* se transforme en *coragee* (la rime est *cesse*), *face, serie* (la rime est *grimasse*), et tant d'autres transformations malheureuses de même genre qu'il est inutile de citer.

Notre *Miracle de saint Nicolas* n'étant pas l'œuvre de Jazme Oliou, et ayant d'autre part l'intention de consacrer à ce miracle une étude plus détaillée [1], je me contenterai d'en donner ici un bref résumé. Deux riches bourgeois, Simon et sa femme Simone, s'apprêtent à célébrer la fête de saint Nicolas pour lequel ils ont une particulière vénération : c'est à lui, en effet, c'est à son intercession qu'ils doivent d'avoir eu un fils, Dieudonné. Le garçonnet est envoyé par ses parents à une chapelle érigée en l'honneur du saint, dans la forêt, à quelque distance de leur résidence. Dieudonné y va, orne le sanctuaire et s'apprête à rentrer sagement à la maison, lorsqu'il est surpris par trois brigands, Talebot, Clacides et Facetout qui, à l'instigation des diables, ennemis jurés de saint Nicolas, s'emparent de sa personne et l'amènent devant leur chef, le grand kan de Tartarie. La scène change : un messager, qui a vu toute l'affaire, va raconter la triste nouvelle aux parents de Dieudonné qui, après quelques instants d'un désespoir naïvement exprimé, se décident d'appeler une fois de plus saint Nicolas à leur aide, et d'aller le prier dans sa chapelle. La scène change encore : à la cour du grand kan, celui-ci presse Dieudonné de renier sa foi, mais ce dernier résiste, malgré les coups et les tortures ; on l'emmène enfin en prison. Nouveau changement de scène : nous sommes à la chapelle, où les parents prient saint Nicolas ; il les entend, intercède auprès de Dieu et lui demande de permettre que Dieudonné échappe aux païens ; Dieu exauce cette prière et envoie deux anges, Uriel et Raphael, à la prison où est enfermé l'enfant ; ils le prennent durant son sommeil et le rapportent à la chapelle où se trouvent précisément ses parents : et la pièce se termine dans la joie générale, tandis que Dieudonné demande à son père et à sa mère

> Qu'il vous playse presentemant
> Fere savoyr cest bau miracle
> Que s'est fest en ceste plasse.
> Et trestot soyt bien figuré,

---

[1] Elle a paru sous le titre *Un miracle de saint Nicolas représenté en Avignon vers 1470,* in *Annales d'Avignon et du Comtat Venaissin,* vol. XVIII (1932) pp. 5-40.

Affin que Dieu soyt adoré,
Et qu'il an soyt plus grant memoyre [1].

Qu'il me suffise de remarquer — l'étude des phases de la trans-
mission de ce thème de miracle serait trop longue à faire ici, — en
ce qui concerne les tenants de cette pièce, que c'est la mise en scène
du miracle de saint Nicolas connu par les hagiographes sous le nom
de « Thauma de Basilio » [2] — auquel se rattachent une série de
miracles analogues accomplis par le même saint ou par saint Georges
— et, le nom de l'enfant ayant changé ainsi que certains détails,
connu sous le nom de « miracle du fils de Géthron » dans des rédactions postérieures. C'est sous cette dernière forme que nous retrouvons l'histoire qui forme le fond de notre miracle dans la *Légende
dorée* [3], dans un miracle latin représenté sans doute au monastère
de Fleury-sur-Loire [4], dans la *Vie de saint Nicolas* de Wace enfin [5].
Il paraît vraisemblable que le texte transcrit par un compagnon de
Jazme Oliou remonte à une adaptation française de ce miracle latin.

Ce même scribe a encore copié, à la suite du miracle, une farce
intitulée *Farce à quatre personages, et premierement le Fol, le Mari
et la Fame et le Curé.* Le texte, qui en était complet, est aujourd'hui
en mauvais état, la partie extérieure du bas de chaque feuillet ayant
été rongée par l'humidité. La pièce commençait par un prologue du
Fol : et c'est dans ce prologue précisément qu'il est question de la
fameuse invasion de « langoustes » qui menaçait Avignon. S'il est peu
probable que cette farce ait été composée en Provence, il est par
contre vraisemblable qu'elle y a été remaniée, et que ce prologue en
tout cas est dû à la plume, sinon de Jazme Oliou, du moins d'un de
ses congénères. Elle met en scène un paysan, Martin, que sa femme
envoie aux champs, tandis qu'elle-même passe son temps à boire et
à s'amuser en compagnie de son curé, maître Pierre. Mais, une fois
aux champs, Martin s'y endort régulièrement : et c'est pour lui faire
honte de sa paresse incorrigible que Malensenhée — c'est le nom de
la femme — et le curé se proposent de lui jouer un tour. Malensenhée

---

[1] Ms. Nᵒ 115, fᵒ 13; Dott. Ida Del Valle de Paz, op. cit., p. 138, vers 776-780.
[2] Cf. Anrich, *Hagios Nikolaos, der Heilige Nikolaos in der griechischen Kir-
che. Texte und Untersuchungen,* vol. II, Leipzig-Berlin 1917, pp. 407-408.
[3] Jacobi a Voragine *Legenda aurea vulgo Historia lombardice dicta,* rec.
Dr Th. Graesse, Dresdae et Lipsiae 1846, p. 29, cap. III, 12.
[4] Ce miracle a été publié entre autres par E. Du Méril, *Les origines latines du
théâtre moderne,* Leipzig et Paris 1897, pp. 276-284.
[5] Cf. les éditions de Delius, *Maistre Wace's St. Nicholas,* Bonn 1850, et *Li
jus saint Nicholai,* Paris 1834, p. 301 sqq.

va voir ce que fait le mari : il dort, cela va sans dire, et la femme profite du sommeil de Martin pour l'affubler de deux oreilles d'âne. Le pauvre homme se réveille : il s'aperçoit qu'il porte deux longs appendices, s'approche de sa femme qui feint de ne pas le reconnaître ; sur les instances de Martin, elle lui demande, comme preuve de son identité

> ... que vos fi je ung matin ?
> A ceste fois conetrés je
> Si vos estes Martin ho non [1].

Et Martin lui ayant répondu qu'il a été battu, elle le reconnaît enfin. Ce qui n'empêche pas d'ailleurs, dit-elle, que la nature de son mari ait été changée, qu'il est devenu âne, maintenant, et qu'il lui faut par conséquent marcher à quatre pattes, porter les sacs au moulin, manger du foin et boire de l'eau claire : Martin finit par se persuader de son changement d'état et par accepter sa nouvelle situation. La farce se termine par une tirade de la Femme qui s'écrie en s'adressant à ses auditeurs masculins :

> Gardés que vos soyés bien hunbles,
> Et obeyssés a vos fames !...
> ... cellon mon opinion
> Les fames devent governer,
> Car elles savent myeulx parler.
> Elles vos aprandroynt a filer [2].

Et, après l'explicit de la farce, l'acteur — ou l'actrice — qui faisait la Femme débitait un monologue qui a déjà été publié par E. Picot [3], pièce « qui offre cette particularité qu'au lieu d'être une satire contre les femmes, elles est tout entière à leur louange ». Ce monologue est un plaidoyer en faveur du mariage, et un sévère réquisitoire contre les célibataires. Ceux-ci, dit-il, ne seront-ils pas punis de leur égoïsme, et l'homme qui ne se sera pas marié ne recevra-t-il pas son juste châtiment,

> Sy faut qu'il face son potage
> Et qu'il guverne son meynage ? [4]

---

[1] Ms. cit., fo 18.

[2] Ms. cit., fo 19.

[3] Ms. cit., fos 19-20 vo ; Picot, art. cit., in *Romania*, t. XVII (1888), pp. 257-260.

[4] Ms. cit., fo 20 ; Picot, art. cit., p. 259, vers 55-56.

Le mariage, d'ailleurs, n'est pas chose si terrible :

> Il n'è riens plus dous que la fame :
> Ele metroyt et cors et ame
> Pour son mari quand elle l'a [1].

Et Job ne dit-il pas qu'« inter omnia mulier est dulcior » ?

Il est à peine besoin d'insister sur le peu d'intérêt et de valeur littéraire que présente cette farce, avec sa trame parfaitement vulgaire, ses allusions équivoques aux « oreilles » qui ornent le chef de Martin, et ses passages grossiers où l'on enseigne aux maris la façon de traiter les femmes. Elle se rattache évidemment à la série de farces qui mettent en scène le clergé — non pas tout le clergé, comme l'a remarqué Petit de Julleville [2], car les prélats, qui étaient puissants, ne sont attaqués que d'une façon vague et générale — et en particulier le curé de village, isolé et faible, qu'on retrouve dans le *Meunier,* dans le *Savetier,* pour ne citer que celles-là. Mais le thème même de l'homme changé en âne se retrouve ailleurs au moins une fois : dans un fragment de farce en franco-provençal que j'ai retrouvé naguère aux Archives de l'Etat de Fribourg, fragment qui ne donne qu'une partie du rôle d'un seul acteur — le texte, de plus, est rogné à gauche, de sorte que bon nombre de vers sont tronqués au commencement — ; j'ai cru reconnaître une farce dont le sujet était identique à celui de la pièce qui nous occupe. J'ai dit, en effet, que le thème de cette farce en franco-provençal « semble être le suivant : la scène, qui est à trois personnages, représente un patron maltraitant un de ses serviteurs qui ne travaille pas. A un moment donné, le maître se dirige vers un second domestique qui, au lieu de travailler, s'est endormi ; il semble qu'il l'affuble d'oreilles d'âne, qu'il lui monte sur le dos et se fait porter par lui au moulin : et ce qu'il y a de plus singulier, c'est que ce serviteur changé en animal paraît convaincu de la réalité de sa métamorphose, et en accepte toutes les conséquences » [3]. La comparaison qu'il est aujourd'hui possible d'établir avec le texte français permet de rectifier ce résumé : il y a bien trois personnages — le Fol n'apparaissant qu'au prologue, — mais il n'y est pas question de domestiques. C'est au curé que le patron

---

[1] Ms. cit., fo 20 vo ; Picot, art. cit., p. 259, vers 90-92.

[2] L. Petit de Julleville, *La comédie et les mœurs en France au moyen âge,* 3e éd., Paris 1886, pp. 221-222, note 2.

[3] P. Aebischer, *Quelques textes du XVIe siècle en patois fribourgeois,* in *Archivum romanicum,* vol. VII (1923), p. 331. Le texte est publié aux pp. 331-335.

— ou plutôt la patronne, soit la Femme — dit qu'elle va voir ce que fait son mari, qui va être changé en âne. Les deux textes, d'ailleurs, n'ont que le sujet de commun, et le nom du malheureux protagoniste ; pour la partie où la comparaison est possible, on constate une divergence absolue dans le dialogue, dans les détails scéniques, de sorte qu'il n'est pas possible d'établir ou de supposer une parenté directe entre les deux textes. Ce sont vraisemblablement deux rédactions distinctes, deux mises en scène tout à fait indépendantes d'un thème connu, thème qui peut-être était particulièrement populaire dans la haute vallée du Rhône comme dans la partie inférieure du cours de ce fleuve.

Le manuscrit 115 renferme enfin un fragment d'une autre farce, dont il manque malheureusement le commencement et par conséquent le titre, fragment transcrit par le scribe du *Miracle de saint Nicolas* et de la *Farce à quatre personages* : c'est une farce à trois personnages au moins, qui sont Pitance, Colas et le Marchand. Les trois pages qui nous en restent, à moitié disparues, à moitié fondues par l'humidité, permettent simplement de dire que Pitance et Colas se chicanent et s'insultent parce que, semble-t-il, ce dernier aurait mangé des provisions appartenant à Pitance ; survient le Marchand, qui prend fait et cause pour Colas, et tous deux battent Pitance, puis tirent à la courte bûche pour savoir lequel des deux doit boire du vin qui peut-être appartenait à Pitance également. C'est tout ce que l'on peut tirer de la pièce en son état actuel : tenter un rapprochement quelconque avec d'autres farces est par le fait même impossible.

Telles sont les pièces contenues dans ce manuscrit 115. Il n'est pas probable, je le répète, qu'il faille y voir des œuvres de Jazme Oliou : leur langue est plus pure, moins entachée de provençalismes, que celle de la *Moralité d'Argent.* Car si nous trouvons des formes comme *ase,* pour *asne,* et si Picot a déjà signalé dans le monologue des graphies telles que *jonueso, vielhessa, celo* [1], elles sont sans doute attribuables « à un copiste ignorant ». Cet érudit, il est vrai, a cru devoir admettre que « l'étude du manuscrit d'où le sermon est tiré permet de penser qu'il a été composé à Beaucaire ou aux environs de cette ville. » Je suis d'un avis différent : si le manuscrit est vraisemblablement avignonais, il ne s'ensuit nullement que les pièces qui

---

[1] Ces trois graphies provençalisantes sont d'ailleurs, pour deux d'entre elles tout au moins, des erreurs de lecture. Picot ne connaissait ce monologue que par une copie que lui en avait faite S. Morpurgo, ancien directeur de la Bibliothèque Laurentienne : au vers 49, je lis *ioynese, vielhessa* comme Picot au vers 50, et *cele* au vers 100.

y sont contenues ne puissent être d'origine beaucoup plus septentrio-
nales ; j'admets par contre qu'elles ont été recopiées à Avignon ou
aux alentours, et que l'une ou l'autre y a été remaniée : c'est à
quelque versificateur provençal, peut-être même à Jazme Oliou, que
serait dû, je le répète, le prologue de la *Farce à quatre personages.*
Et il n'y a pas d'inconvénient, je le répète aussi, à admettre que toutes
les pièces ont fait partie du répertoire d'une troupe qui divertissait
de temps en temps le public avignonais. Je dois dire néanmoins que
je ne suis pas sûr que toutes ces pièces aient été représentées : ni la
Farce à quatre personages, ni les fragments de la farce où apparaissent Pitance, Colas et le Marchand, ni le fragment de sottie à trois
personnages publié par Picot ne portent d'indications scéniques. Mais
j'ajouterais d'autre part que, pour la *Farce à quatre personages* tout
au moins, il y a un argument en faveur de la représentation, qui est
précisément le prologue dit par le Fol. Il est possible aussi que, si les
indications scéniques manquent dans ces pièces, c'est uniquement
parce que les faits et gestes des acteurs étaient si faciles à imaginer
qu'il était inutile que le livre du régisseur les indiquât.

Il est donc licite d'admettre qu'au moins la *Moralité d'Argent,* le
Miracle de saint Nicolas, la *Farce à quatre personages* ont été représentés à Avignon, sans doute dans le troisième tiers du XVe siècle.
Et rien ne s'oppose à ce qu'on voie dans ces pièces des manifestations
de l'intérêt que prenaient les Avignonais aux choses du théâtre, aux
choses de l'esprit écrites en langue française : ces farces, ces moralités, ces mystères nous montrent qu'alors déjà la langue d'oïl était
pour eux la langue littéraire, la langue polie, la langue des grandes
occasions ; la langue qui, si elle n'était pas écrite ni parlée peut-être
par chacun, était au moins comprise par tout le monde. Comme
aujourd'hui, l'Avignonais du menu peuple, à la fin du XVe siècle,
l'Avignonais qui avait perdu le souvenir des gloires de la langue des
troubadours et qui ne sentait sa langue de tous les jours que comme
un patois, voyait dans le français la langue naturelle, le véhicule normal des choses de l'esprit : pour les Avignonais, comme pour les gens
du pays d'Aoste [1], à peu près à la même époque, la langue française
était un idéal ; elle était aussi une libre, haute et instinctive manifestation d'une communauté de sentiments, de façon de penser, avec
d'autres régions, bien qu'alors, comme le disaient simplement Jazme
Oliou et ses compagnons, « fransois ne soions ».

---

[1] P. Aebischer, *Une œuvre littéraire valdôtaine ? Le Mystère de saint Bernard
de Menthon,* in *Augusta Praetoria,* 7e année (1925), p. 61, étude reproduite dans
le présent recueil, pp. 95-116.

A PROPOS DU *GOUVERT D'HUMANITÉ*
DE JEAN D'ABONDANCE

Sur les origines savoyardes de l'auteur

Dans sa *Bibliothèque françoise,* qui date comme chacun sait de 1585, Du Verdier déjà [1] avait signalé, comme étant due à la plume de Jean d'Abondance, la moralité du *Gouvert d'Humanité.* Indication qui naturellement fut recueillie par les frères Parfaict [2], puis par Petit de Julleville [3] et par D. H. Carnahan, qui consacra une monographie sans grande valeur à notre auteur [4]. Mais le texte lui-même était perdu et donc inconnu.

Un concours d'heureuses circonstances me permet aujourd'hui de publier le *Gouvert,* d'après l'unicum qui est déposé à la Bibliothèque cantonale de Sion. Il y a plusieurs années, en effet, la famille de Torrenté, une des plus notables du patriciat local, décida de confier à la dite bibliothèque l'ensemble des livres recueillis par Philippe de Torrenté il y a quelque deux cents ans. Et le catalogue qui en fut établi en 1959 par Mᵐᵉ Elisabeth Castelli, parmi les 188 ouvrages énumérés — dont beaucoup sont des livres de droit ou de théologie des XVIᵉ et XVIIᵉ siècles —, signale naturellement, sous la cote A.T. 167, un recueil factice de trois pièces de théâtre, ayant comme couverture une simple feuille de parchemin — un acte daté de 1514 — et cousues sommairement les unes aux autres avec de la ficelle. Recueil qui m'a été signalé peu après par M. André Donnet, bibliothécaire et archiviste cantonal, qui a bien voulu me demander de faire connaître ce recueil aux spécialistes, poussant l'amabilité

---

[1] *Bibliothèque françoise,* Paris, 1585, p. 635.

[2] *Histoire du théâtre françois depuis les origines jusqu'à présent,* Paris, 1745, t. III, p. 157.

[3] *Répertoire du théâtre comique en France au moyen âge,* Paris, 1886, nᵒ 276.

[4] *Jean d'Abondance. A Study of his Life and Three of his Works,* in *Univ. of Illinois. The University Studies,* vol. III, nᵒ 5 (1909), p. 20.

et l'amitié — dont, une fois de plus, je lui suis vivement reconnaissant — jusqu'à me procurer les photographies, en grandeur originale, des trois pièces en question.

Jean-Philippe de Torrenté, qui a réuni la bibliothèque qui nous intéresse, naquit en 1692. Il occupa diverses charges importantes, entre autres celles de secrétaire de l'évêque, de grand châtelain de Sion en 1746 et 1758, de bourgmestre de cette ville en 1756. Il fut envoyé en mission diplomatique auprès de la cour de Turin, et chargé de négocier la seconde capitulation du régiment Courten au service de France. Par ailleurs, il est l'auteur de commentaires sur le *Status Vallesiae* et de nombreux travaux historiques. Il épousa en 1721 Cécile Barberin, fille de Barthélemy et d'Anne-Marie de Quartéry, dont il eut deux fils. Il mourut en 1762 [1].

Si nos trois pièces trouvèrent une place dans sa bibliothèque, c'est évidemment parce qu'elles portaient des titres religieux et moraux, qui cadraient avec la ligne austère du reste de la collection. Morale du reste, si même il s'agit d'une moralité, l'*Istoire de l'Enfant prodigue* ne l'était que jusqu'à un certain point : sous prétexte de nous faire toucher du doigt le degré d'abjection et de turpitude où était tombé le protagoniste, l'auteur se complaît à nous introduire dans un mauvais lieu où, comme l'a dit Petit de Julleville, trois femmes de mauvaise vie et deux débauchés, leurs amis, font fête à l'Enfant prodigue, et lui dévorent son argent au jeu et aux ripailles [2].

Quoi qu'il en soit, ces pièces sont les suivantes :

n° A.T. 167 a. — *L'Istoire de l'enfant prodigue, selon le texte de l'evangile. Par laquelle est demonstré la fin miserable ou parviennent ceulx qui leurs biens despendent prodigalement. Entendu spirituellement du pecheur... a unze personnaiges...* In-4° gothique de format agenda, 32 feuillets à 47 lignes chacun. Grâce au colophon, nous savons que cette brochure a été imprimée « à Lyon, en rue Mercière, en la maison de feu Barnabé Chaussard, près Nostre Dame de Confort. M.D. XLVIII ». Dans son *Répertoire*, Petit de Julleville mentionne de l'*Istoire* quatre éditions : une de Paris, s. d., petit in-4° gothique de 20 feuillets ; une autre de Rouen, s. d., imprimée par Richard Aubert, in-4° de 20 feuillets ; une troisième imprimée à Lyon par Pierre Rigaud, in-16 de 128 feuillets, qui daterait de 1580 ; une quatrième, imprimée à Lyon en 1615 par Pierre Marniolles,

---

[1] *Dictionnaire historique et biographique de la Suisse*, t. VI, p. 639, et *Almanach généalogique suisse*, 6ᵉ année, Bâle, 1936, p. 316.

[2] Op. cit., p. 59, n° 27.

in-16 de 103 pages [1]. A propos de cette dernière, Petit de Julleville mentionne qu'« une autre édition de Lyon, chez Benoist Chaussard », est citée par Du Verdier : c'est cette édition que représente le texte de Sion. Seul à ma connaissance le *Dictionnaire de biographie française* [2] attribue la paternité de notre *Istoire* à Jean d'Abondance : je crois pouvoir l'exclure absolument, la métrique, le vocabulaire, la tonalité générale de l'œuvre me paraissant différer totalement de celles des pièces duement signées par cet auteur.

n⁰ A.T. 167 b. — *Moralité mistere moult utile & salutaire, devote figure de la Passion de Nostre Seigneur Jesuchrist selon vraye doctrine. Nouvellement corrigee & mise en ordre comme est requis : & est intitulée ou nommé. Secundum legem debet mori... a XI personnaiges...* In-4⁰ gothique, de format agenda, 32 feuillets à 45-46 lignes chacun. Il a été imprimé, d'après le colophon, « a Lyon par Jaques Moderne en rue Merciere pres Nostre Dame de Confort », s. d. De cette pièce de Jean d'Abondance, Petit de Julleville [3] mentionne un manuscrit conservé à la Bibliothèque nationale de Paris (fonds fr. n⁰ 25466) et un exemplaire, imprimé à Lyon par Benoist Rigaud, s. d., in-8⁰ de 88 pages chiffrées, et conservé lui aussi à la Bibl. nat., Réserve Yf 14. Cet exemplaire a été remonté, dit notre auteur, page par page, dans un encadrement du XVIII⁰ siècle qui représente les instruments de la Passion. Le manuscrit, comme l'a remarqué Carnahan, n'est qu'une copie corrigée, exécutée dans la seconde moitié du XVI⁰ siècle, de l'imprimé [4]. Nous devons à Carnahan une édition de cette *Passion,* édition dans laquelle il a reproduit le texte de l'imprimé, en ajoutant en note les corrections apportées par le manuscrit [5]. D'après Fournier, qui ne donne pas ses preuves, la pièce daterait de 1544 [6]. Le fait est que l'exemplaire de Sion est différent de celui qui était connu, puisque ce dernier est sorti de l'atelier de Rigaud, alors que le nôtre provient de celui de Jaques Moderne. Les deux textes sont d'ailleurs très semblables, et n'offrent guère que des variantes graphiques sans importance et sans intérêt.

* * *

[1] *Ibid.,* pp. 57-58.
[2] Paris, 1933, vol. I, col. 238.
[3] Op. cit., pp. 93-94, n⁰ 55.
[4] Op. cit., p. 20.
[5] *Ibid.,* pp. 49-123.
[6] *Le théâtre français avant la Renaissance,* Paris, s. d., p. 438.

La troisième pièce du recueil factice de Sion, cotée A.T. 167, c'est *Le Gouvert d'Humanité*. Ce texte est un in-4º gothique de format agenda de 24 feuillets non chiffrés, signés A-F [1], ayant chacun 46 lignes à la page pleine. Le titre est orné d'un L gravé sur bois de 23 mm. de côté, que l'on retrouve dans d'autres impressions de Jaques Moderne, par exemple dans *Le parangon des chansons, Unziesme Livre,* 1543, et d'une vignette gravée qui figure au titre des *Sept marchans de Naples,* s. d., reproduit dans le *Cat. Rothschild,* nº 575, p. 386.

Emile Picot a établi une bibliographie [2] sommaire et forcément incomplète des livres sortis des presses de Jaques Moderne dit Grand Jaques, imprimeur originaire de Pinguente en Istrie. Il s'était spécialisé dans l'édition d'ouvrages de musique et de livrets populaires, et Jean d'Abondance fut l'un de ses auteurs les plus fidèles.

Le sujet de la moralité est le suivant. Après un bref prologue du Messager, se présente le personnage principal, Humanité. Bien qu'il porte un nom féminin, c'est un jeune homme, de bonne famille, à la bourse bien garnie, avenant de sa personne, très sensible au charme du sexe. Proie toute désignée par conséquent pour Péché mortel, fournisseur de l'enfer. Aidé de Tentation et de Luxure, il circonvient Humanité, et tous se rendent auprès de Péché mortel qui, sous les traits d'un hôte, leur sert à boire et à manger. Mais la fête est à peine commencée que survient Remords de conscience, lequel reproche vivement à Humanité son aveuglement. En vain Péché et ses acolytes tentent-ils de mettre le nouveau venu à la porte; en vain Luxure multiplie-t-elle ses cajoleries : Humanité, touché par les exhortations de Remords, lui demande ce qu'il doit faire pour se racheter et obtenir son salut. Remords l'habille alors en pèlerin, lui remet une tête de mort, qu'Humanité contemple longuement. Après quoi, toujours sur les conseils de Remords, il s'en va au jardin de Pénitence, dont Carême est la portière ; là, il goûte successivement des fruits amers de trois arbres, Confession, Contrition et Satisfaction. Mais Péché, furieux de ce que ses suppôts n'aient pas réussi à conquérir Humanité, le leur reproche avec véhémence et les incite à tenter un nouvel assaut. Tentation et Luxure, accompagnés d'Erreur, rejoignent Humanité au moment où ce dernier, devant le jardin de Pénitence, hésite à y entrer, effrayé qu'il est par tous les sacrifices qu'on lui demande, et ils ont le dessus : malgré les objurgations de Remords

---

[1] Op. cit., loc. cit.

[2] *Catalogue des livres composant la bibliothèque de feu M. le baron James de Rothschild,* t. I, pp. 98-104.

et de Pénitence, Humanité, au souvenir des plaisirs qu'il a quittés, et qu'il devrait quitter pour toujours, jette tête de mort, bourdon, chapeau et manteau pour suivre Tentation. Mais au moment précis où Humanité et ses faux amis sont de nouveau chez l'hôte, apparaît Justice divine, qui veut le frapper de son glaive pour le jeter en enfer, à la grande joie naturellement de Péché. Toutefois, à l'instant où Justice divine met la main sur le pauvre Humanité, surgit un dernier personnage, Miséricorde, lequel, se jetant aux pieds de Justice divine, obtient un dernier sursis en faveur de son protégé. Justice se laisse toucher et se retire, tandis que Humanité, conscient du péril qu'il a couru, jure de renoncer à ses erreurs passées, et de ne plus songer qu'à son salut. Enfin réapparaît le Messager qui, après avoir tiré la leçon de tout ce qui précède, congédie les assistants et leur permet d'« aller boyre ».

Thème certes qui n'a rien de bien neuf : c'est la lutte habituelle entre le bien et le mal dans le cœur de l'homme, lutte qui constitue l'essentiel de l'action, et de l'action moralisatrice, de nombreuses moralités. Beaucoup de ces pièces, a dit Petit de Julleville, « sont nées d'une pensée religieuse ; elles mettent en scène les bonnes et les mauvaises influences qui se disputent le cœur de l'homme ; les unes l'appelant au bien, à la vertu, à la récompense, et les autres l'entraînant au mal, au vice, au châtiment éternel. Tantôt ces destinées opposées sont personnifiées dans deux rôles distincts, dont les actions, la conduite et la fin suprême offrent un perpétuel contraste ; et tantôt la moralité nous présente un même homme partagé, combattu entre le bien et le mal » [1]. Comme exemple du premier procédé, nous avons les pièces de *Bien avisé, Mal avisé*, du *Désespéré* écrit par Claude Bonet en 1595, des *Enfants de Maintenant*, de *L'Homme juste et l'Homme mondain* enfin. Le second cas où, comme dans notre *Gouvert d'Humanité*, nous voyons un même homme partagé entre de bonnes et de mauvaises influences, est représenté par *L'Homme fragile* ; par *L'Homme, le Ciel, l'Esprit, la Terre, la Chair*, œuvre de Guillaume des Autels datant de 1549 ; par *L'Homme pécheur*, où « le même homme... successivement s'abandonne à tous les vices et met son salut en péril ; puis touché de remords, fait pénitence, obtient son pardon, et meurt réconcilié, pour être enlevé dans son âme au Ciel pendant que son corps est enseveli sur la terre » [2] ; par *Mundus, Caro, Daemonia*, qui nous montre un chevalier, aux sentiments chrétiens, aidé par l'Esprit dans sa lutte contre la Chair,

[1] Op. cit., p. 40.
[2] *Ibid.*, p. 73.

le Monde et le Diable ; par la *Moralité d'Argent* enfin, où l'Homme
termine misérablement sa vie, malgré les conseils de Bon Advis, et
est englouti par la Terre [1].

Mais si l'idée directrice du *Gouvert d'Humanité* n'a rien de personnel, Jean d'Abondance a su néanmoins introduire dans son œuvre
plusieurs modifications importantes. Si, comme tant d'autres poètes
du moyen âge, il a cru devoir insister sur le fait que la mort — qu'il
matérialise par le crâne que Caresme donne à Humanité — est aussi
inéluctable qu'imprévisible, il a su, jusqu'à la fin, tenir ses auditeurs
en haleine et en suspens. Humanité, en effet, après avoir accepté les
conditions posées par Carême et Pénitence, se rebelle ; puis, au
moment où nous le croyons perdu à jamais, au moment où il va
recevoir le coup d'épée fatal, apparaît Miséricorde, qui plaide si bien
qu'elle réussit à sauver le pauvre Humanité. Vieux thème aussi,
certes, que celui de Justice et Miséricorde, qui ont leur rôle dans
nombre de mystères : n'empêche que leur introduction dans une
moralité constituait une innovation, et une heureuse innovation.
D'autre part, si le *Gouvert d'Humanité* a un but moral avant tout,
la polémique religieuse n'y est certes pas absente : en plus du mal,
du péché, notre auteur entend combattre l'erreur. Le personnage qui
porte ce nom, Erreur, est la nette représentation des idées protes-
tantes, de celles au moins qui étaient accessibles au public très moyen
pour lequel Jean d'Abondance avait écrit sa pièce : non seulement
Erreur se vante d'avoir « seduict la Germanie et mainte aultre pro-
genie » (v. 763-764), d'avoir acquis à ses idées de nombreux légistes,
clercs, recteurs d'école (v. 767 s.), d'avoir incité chacun, jusqu'aux
plus incompétents, à gloser « sur l'évangile » (v. 775), à « saint Paul
interpreter » (v. 782) : mais Caresme proteste avec véhémence contre
« aulcuns » qui « me vont nyant » (v. 957), et s'inscrit en faux, avec
plus de véhémence encore, contre Erreur quand celle-ci soutient que
Dieu n'a jamais « caresme... commandé » (v. 982-983), que la confession n'est qu'une invention des hommes (v. 985), et que la foi
seule suffit pour faire son salut (v. 992-993).

Ici se présente à nous tout naturellement le problème de l'identité
de l'auteur et de la formation intellectuelle de Jean d'Abondance.
Quant à son identité, nous n'avons pratiquement fait aucun progrès
depuis des siècles, depuis qu'on a lu, sur la page de titre du *Joyeux
mistère des Trois rois,* l'indication « composé par Jehan d'Abondance,

---

[1] P. Aebischer, *Moralités et farces des manuscrits Laurenziana-Ashburnham
nos 115 et 116,* in *Archivum romanicum,* vol. XIII (1929), pp. 453-501.

Bazochien et royal notaire de la ville du Pont St-Esprit » [1], indication qui se retrouve presque telle quelle en tête du *Gouvert*, aux deux exceptions près que le nom de l'auteur y est orthographié « Jan Abundance », et qu'après « royal notaire » figure la mention « habitant de la ville de... ». Adoptant une opinion déjà ancienne [2], Petit de Julleville écrit que le nom de notre écrivain paraît un pseudonyme, ajoute que « ce n'est pas le seul qu'il ait pris, car il s'est aussi qualifié Maistre Tyburce, demeurant en la ville de Papetourte », et conclut que « sa personne est réellement inconnue » [3]. Carnahan, lui, est audacieusement plus précis. Pour lui, en effet, Jean d'Abundance « was a notaire royal, and a member of the Bazoche of Pont-Saint-Esprit... In the years 1532 and 1533, he travelled in Southern Europe and on the Mediterranean, where he was taken prisoner and suffered various hardships at the hands of Captain Jonas, a rebel to the king, and probably a pirate. The years of his main literary activity lie between 1536 and 1544 » [4]. Ces indications concernant Jean d'Abondance gyrovague en Méditerranée, sa prise par un pirate connu sous le nom de Capitaine Jonas, proviennent du titre — mais du seul titre, puisque le contenu de cette pièce est perdu — d'une œuvre, *Les Faubourgs d'Enfer, contenant les misères et calamités qui sont sur mer : la Prinse de l'Acteur par feu Captaine Jonas, ensemble sa délivrance faite par Messieurs les Cardinaux de Lorraine et de Boulogne* [5], signalée par Du Verdier et attribuée par lui à Jean d'Abondance. Mais que vaut cette attribution ? N'est-ce pas une conjecture du bibliographe, ou au contraire a-t-elle quelque rapport avec la réalité ? Si c'est autre chose qu'une simple hypothèse, ces détails doivent cadrer avec ce que nous pouvons deviner de l'auteur d'après ses œuvres authentiques : et il faut avouer que Jean d'Abondance aventurier ne s'accorde guère avec les multiples études qu'on devine qu'il a faites.

M. Nicolas, dans son *Histoire littéraire de Nîmes* [6], n'apporte malheureusement rien de neuf concernant la biographie de notre

---

[1] D. H. Carnahan, op. cit., p. 27.

[2] Cf. *Les bibliothèques françoises de La Croix du Maine et de Du Verdier*, par M. Rigoley de Juvigny, t. IV, Paris, 1772, p. 325.

[3] L. Petit de Julleville, *Répertoire...*, p. 74.

[4] D. H. Carnahan, op. cit., p. 12. Cf., pour les recherches faites par cet auteur sur Jonas, op. cit., pp. 9-10.

[5] *Les bibliothèques françoises,* vol. cit., p. 234; D. H. Carnahan, op. cit., p. 13.

[6] T. III, Nîmes 1854, p. 329. Je dois à l'amabilité de M. Sablon la copie de la page de cet ouvrage dans laquelle il est question de Jean d'Abondance et de ses œuvres.

auteur : il ne paraît même pas s'être demandé s'il avait jamais existé
à Pont-Saint-Esprit un notaire du nom de Jean d'Abondance. Consulté à ce propos, M. J. Sablon, directeur des Archives du Gard, a
bien voulu me faire savoir [1] que les notaires de cette petite ville ne
sont représentés, pour la période qui nous intéresse, dans les archives
en question que par trois noms, ceux de Noël Pastoris en 1495, de
Nicolas Menesclans de 1482 à 1502, d'André Almeras de 1515 à
1544. Seul ce dernier pourrait entrer en ligne de compte : encore
faudrait-il au moins prouver qu'à côté de ses occupations profession-
nelles, il avait eu quelque activité littéraire, et surtout que sa formation intellectuelle lui aurait permis d'écrire les pièces que Jean
d'Abondance a signées.

Comme l'a reconnu Carnahan, et ainsi qu'il ressort aussi du
Gouvert, notre auteur possédait tout d'abord fort bien son latin.
Dans ses pièces sérieuses — et nous en donnerons des preuves plus
loin —, il use volontiers de mots savants, de mots qui ne sont que du
latin mimétisé. Ainsi qu'il ressort du texte du mystère de la Passion,
en général, et en particulier de la « Loy de nature » en prose qui y
est incluse [2], notre auteur a sans nul doute une formation juridique
poussée : du droit, il connaît le langage, le formulaire, la procédure.
« The legal terms which he employs », note Carnahan, « would indi-
cate that he was a lawyer, even if he were not described as « notaire
royal » [3] ». Mais là où je ne saurais suivre cet auteur c'est quand il
affirme « altho a strong religious tone appears in our two pieces, it
is safe to assume that this came from the author's artistic sense, rather
than from any deep religious feeling, or from attachment to the
church ». Du peu de respect qu'aurait professé Jean d'Abondance
pour la Papauté, Carnahan voit une preuve d'une part dans le surnom qu'il aurait pris de « maistre Tyburce, demeurant en la ville
de Papetourte », « would imply a lack of reverence for the papal
power », et d'autre part dans certains passages peu respectueux concernant les moines qu'il tire de *La Guerre et Débat entre la Langue,
les Membres, etc.* [4]. Et il ajoute que « various sacrilegious passages
are found in our two mysteres, but no importance can be laid upon
such speeches because the author, in these cases, has simply followed
common custom » : ce en quoi il a parfaitement raison. Là où il a

---

[1] Lettre datée du 25 septembre 1961.
[2] D. H. Carnahan, op. cit., pp. 73-75.
[3] *Ibid.,* p. 10.
[4] *Ibid.,* p. 11.

tort, c'est quand il prétend tirer une conclusion du nom de *Pape-tourte* : nom qui, en effet, n'a rien à voir avec celui du *Pape,* puisque ce n'est qu'un composé du verbe *papar* « manger » et *tourte.* D'autre part nous n'avons une fois de plus que l'autorité de Du Verdier pour mettre au compte de Jean d'Abondance *La Guerre et Débat* : le fait que cette pièce a été imprimée à Paris par Jean Trepperel [1] et non pas à Lyon, rend déjà cette attribution improbable.

Le sentiment que l'on ressent au contraire à la lecture tant de la *Passion* que du *Gouvert d'Humanité,* et même à celle des passages sérieux des *Trois Rois,* est que leur auteur — notre auteur — avait de profondes connaissances théologiques, qu'il étale d'ailleurs avec complaisance ; et qu'en plus, comme nous l'avons dit, il se sert de la représentation publique du *Gouvert* non seulement pour prêcher la morale à son auditoire, mais aussi pour le mettre en garde contre les idées luthériennes. Sa pièce, en d'autres termes, a non seulement une valeur religieuse et morale, mais un but prochain, précis, polémique : Jean d'Abondance n'était pas seulement un croyant, un savant théologien : il était très soucieux de maintenir l'orthodoxie.

Esprit cultivé donc, connaissant ses auteurs, féru de latin et de latinismes, usant avec complaisance d'un vocabulaire plus que choisi, versé tant en droit qu'en théologie, Jean d'Abondance — qui a par ailleurs, ne l'oublions pas, écrit cette farce de *La Cornette,* une des maîtresses pièces, avec *Pathelin* et le *Cuvier,* du théâtre comique de l'époque à laquelle il vivait — a dû faire de longues et sérieuses études avant d'écrire les œuvres qu'il nous a laissées. Bien plus qu'à un notaire, même royal, nous devons avoir affaire à un ecclésiastique séculier — d'où ses pointes, peut-être, contre les moines —, pourvu de solides diplômes en droit et en théologie : chanoine de quelque cathédrale, official peut-être de quelque évêché de ce qui constitue aujourd'hui le sud-est de la France.

Pseudonyme, a-t-on dit et répété, que ce nom de Jean d'Abondance. Je le croirais aussi, mais jusqu'à un certain point seulement. Car il existe une donnée précise, méconnue plus que négligée jusqu'ici, mais qui porte à réflexion. A propos des tirades du Vilain dans l'*Histoire des Trois Rois,* Petit de Julleville reproduit [2] les dires des frères Parfait, que « le farceur de cette pièce... est un villain ou paysan à qui l'auteur fait toujours parler un mauvais patois languedochien », allégation recueillie par Carnahan, qui qualifie plutôt le

---

[1] *Ibid.,* p. 14.
[2] L. Petit de Julleville, *Les mystères,* t. II, Paris 1880, p. 619.

langage du Vilain de « a half-meaningless jargon » [1]. Que les propos de notre paysan soient à demi insensés, c'est la pure vérité ; mais qu'il s'agisse de jargon, voilà qui est fort inexact. Le texte des *Trois Rois* n'étant pratiquement accessible que dans l'édition Carnahan, elle-même ensevelie dans une collection américaine que beaucoup de bibliothèques ne possèdent pas, on me permettra de quitter un moment le *Gouvert* pour l'*Histoire des Trois Rois,* et de reproduire ici les diverses interventions du Vilain, qui n'apparaît pas moins de dix fois dans le texte. Je pense qu'il n'est pas inutile de placer en regard des tirades telles qu'elles sont imprimées dans l'original suivi par Carnahan, un texte amélioré et ponctué à la moderne : je suis redevable à la science et à l'amabilité de Mgr Gardette de plusieurs suggestions qui m'ont été des plus précieuses.

Le roi Gaspard n'étant pas sûr du chemin qu'il doit prendre, son serviteur Bonne foy interpelle le Vilain qui se trouve là et qui répond :

	Edition Carnahan	*Texte amélioré*
75	Dioz voz chadeley !	Dioz voz chadeley ! [2]

Sur quoi Bonne foy lui demande le «chemin qui va en Bethléem».

Le Vilain, intrigué par l'aspect étrange des voyageurs, répond :

78	Fraud, vous venié de bien loing,	Fraudi [3], vous venié de bien loing,
	Vous n'estes pas de cy pay,	Vous n'estes pas de cy pay !
	Vous me faites tant esbay.	Vous me faites tout esbay
	Quand io vous vey tant fevrago	Quand io vous vey tant servagoz [4] !
	N'entra pas en nostre villagoz	N'entra pas en nostre villagoz,
83	Vous noz favia de pour movi	Vous noz faria de pour mori !

Bonne Foy s'énerve ; le Vilain divague de plus belle :

---

[1] D. H. Carnahan, op. cit., p. 17.

[2] Cf. le prov. mod. *cadela, chadela* « diriger, conduire » (Fr. Mistral, *Dictionnaire provençal français*, vol. I p. 412). Mgr Gardette me signale la même formule de salutation dans un noël lyonnais du XVIe siècle. Sur ces présents du subjonctif en *-et* en franco-provençal, voir O. Keller, *La flexion du verbe dans le patois genevois*, in *Biblioteca dell'« Archivum romanicum »*, sér. II, vol. 14, Genève 1928, p. 124 sqq.

[3] Interjection qui se rencontre plus d'une fois dans les vers qui suivent ; le second terme représente sans doute *Di* « Dieu ».

[4] « Si sauvages ».

88   Certes le premier jour de l'an   Certes, le premier jour de l'an
     J'espouseray nostrau ja   J'espouseray Jacometan [1]
                    cometan,
       et il continue :

92   Et que vo dire que l'hyver   Et que vo dire que l'hyver
     Un tant grand froid de parade.   Un tant grand froid de parady [2].

L'impatience de Bonne foy ne servant à rien, Gaspard recommande à son domestique plus de douceur. A ce dernier, qui a répété sa demande, le Vilain réplique :

120 Parlo, fraudi, vos dictes bien   Par lo frau Di, vos dictes bien :
     Y ny a pas mes d'uno huchias,   Y n'y a pas mes d'una huchias [3] !
     Vo nusci pa seto pissa   Vo n'usci pa seto pissa
     En vo entrere en la villa   Et vos entrere en la villa [4].

Indications qui, si précises qu'elles soient, ne sont pas comprises de Gaspard et de son compagnon, qui s'éloignent. Arrive à son tour le roi Balthasard, noir de figure certainement [5], accompagné de Tritonius. A leur tour, ils essayent de demander leur chemin au Vilain qui, n'ayant jamais vu de nègre de sa vie, s'écrie :

152 Jamais ne vis diable d'Enfer   Jamais ne vis diable d'Enfer
     En ma via plus machera ;   En ma via, plus machera ! [6]
     Allarma ! ma vo emporta,   Allarma ! ma voz emporta !
     Bonnes gens fay lo reta,   Bonnes gens, fay lo reta ! [7]
156 Allarma ! jo m'en vay morir !   Allarma ! jo m'en vay morir !

En vain Tritonius tente-t-il de le rassurer : le paysan crie encore plus fort :

159 Allarma ! Allarma !   Allarma ! Allarma !
     Allarma !   Allarma !

Et tandis que Balthasard comprend et excuse la peur du Vilain qui « oncques nation pareille... n'a jamais veu », celui-ci continue :

---

[1] Restitution hypothétique : avec *nostrau,* on a deux pieds de trop. *Jacometan* est le cas régime, suivant la déclinaison en *-a, -anem,* de *Jacometa,* diminutif féminin de *Jacobus.*

[2] Ce mot rime avec *eslourdy.* Le sens exact de ces deux vers m'échappe.

[3] « Il n'y a pas plus d'une huchée », c'est-à-dire que la ville est toute proche, à portée de la voix.

[4] « A peine le temps d'uriner, et vous entrerez dans la ville ».

[5] Le contexte suffit en effet à prouver que Balthasard est noir de peau. Sur l'iconographie des rois mages, voir une note, qui demanderait des rectifications, de G. Cohen, *Histoire de la mise en scène,* nouv. éd., Paris 1926, p. 42, note 3.

[6] « Machuré ».

[7] « Faites-le rester », arrêtez-le.

167 Jes la tifetafe au cu   J'es la tifetafe [1] au cu,
     De cely Bey tant machera   De cely Rey [2] tant machera !
     Fraudi, jo hiey cuda vola   Fraudi, jo hi ey cuda vola
     Je ne set ou quand jo tes vio.   Je ne set ou [3], quand jo tes vio !

          puis :

212 Tu me semble un diable empena   Tu me semble un diable empena: [4]
     Je n'ay garde de t'aprochié.   Je n'ay garde de t'aprochié !

Cependant les trois rois se rencontrent et font connaissance ; ils
se rendent d'abord à la cour d'Hérode, puis à Bethléem, si bien que
ce n'est qu'après qu'ils ont adoré l'Enfant-Dieu que le Vilain réapparaît et dit :

581 Petit popu fraudi gae merit,
     Bru bru brur   Bru bru bru [5]
     Bella amia lome voudria donna   Amia l'on me voudria donna :
     Je lui bailleray de caillia   Je luy bailleray de cailia
585 D'une bonna peyla,   Una bonna peyla [6] !
     Laissa lo me emporta   Laissa lo me emporta :
     Pour la fraude jo l'amo tant   Par lo frau Di [7], jo l'amo tant !

Enfin le Vilain quitte la scène, tandis qu'Hérode s'étonne de ne
pas voir revenir les voyageurs :

625 Mardi jo meuvo coucha   Mardi ! jo m'en vo coucha [8]
     Pre du cu de nostre meyna   Pres du cu de nostre meyna :
     Trey jour a que jo nay dina,   Trey jour a que jo n'ay dina !
     Bonnes gens a dieu vous   Bonnes gens, a Dieu vous
                    command !   command !

---

[1] Fr. Mistral, op. cit., vol. II, p. 989, s. v. *tifo-tafo,* donne pour le Dauphiné
tif-taf « tic-tac », qui désigne ici les battements de cœur.

[2] Je dois cette correction à Mgr Gardette.

[3] Je comprends : « j'y ai cru voler je ne sais où... »

[4] Fr. Mistral, op. cit., vol. I, p. 877, s. v. *empena,* donne à ce part. adj., en
plus du sens de « emplumé », celui de « tout d'une pièce, complet, entier » en
Quercy. Mgr Gardette me signale pour le point 36 de l'*Ally,* no 964, l'expression
tot epèna « ressemblant ».

[5] Le Vilain, tremblant de peur, prononce des mots qui n'ont pas de sens, puis
fait « br ».

[6] « Je lui donnerai de caillé une bonne poêlée ». Les vers 585 et 586 sont trop
courts.

[7] Je corrige d'après la leçon du vers 120.

[8] Mgr Gardette me rend attentif au fait que *coucha* « coucher » existe dans le
Forez (*ALF* no 329, point 808 ; *Ally* no 1246) et le sud du domaine franco-provençal (*ALF* id., points 920 et 942).

Si fautif que soit ce texte, si maltraité qu'il ait été par les typographes qui l'ont composé et qui ont partiellement francisé l'original fourni par Jean d'Abondance, n'importe quel romaniste, au premier coup d'œil, y reconnaîtra du franco-provençal, et non du « mauvais languedocien » ou du « jargon ». Franco-provençal émasculé, standardisé, cuisiné dirais-je à l'américaine, de telle sorte qu'on ne peut deviner s'il s'agit de patois savoyard, lyonnais ou dauphinois. Mais nous sommes dans le franco-provençal méridional.

Dès lors un rapprochement de cette constatation et du nom même de Jean d'Abondance s'impose. Notre auteur, plutôt que notaire royal à Pont-Saint-Esprit, n'aurait-il pas été savoyard d'origine, et ne serait-il pas né à Abondance ? N'aurait-il pas fait ses études en France ? Ne se serait-il pas établi quelque part dans la France du sud-est ? Ce ne saurait être un hasard, en tout cas, que son éditeur ait été lyonnais. Sans doute pourrait-on mettre en évidence, d'une part le fait que l'utilisation des patois, en particulier dans les passages mis dans la bouche des Sots, des Fols, dans les pièces théâtrales de cette époque, était chose plus que courante et, d'autre part qu'étant donné que l'éditeur habituel de Jean d'Abondance était établi à Lyon, le public de notre auteur devait être lyonnais ; et que, comme veut bien me le faire remarquer Mlle Droz, domestiques et gens du commun, à Lyon vers 1540, étant Italiens ou Savoyards, il eût été naturel que Jean, pour faire rire ses auditeurs, eût usé d'un patois plus ou moins savoyard. Mais s'il était de Pont-Saint-Esprit, pourquoi n'aurait-il pas employé le « mauvais languedocien », le patois provençal de sa ville natale ? Pourquoi aurait-il choisi ce pseudonyme « d'Abondance » ? Il existe malgré tout, convenons-en, entre cette indication d'origine possible et le patois qui est sorti de sa plume, une correspondance assez curieuse pour qu'elle mérite d'être soulignée et versée au dossier.

Bien que le texte de l'unicum de Sion ne soit pas daté, Du Verdier l'attribue à l'année 1538. La pièce appartiendrait donc, jusqu'à preuve du contraire, au début de l'activité littéraire de Jean d'Abondance, à un moment où ce dernier n'était pas encore en possession de tous ses moyens. La versification du *Gouvert,* en tout cas, est nettement inférieure à celle de la *Passion,* ou même à celle de l'*Histoire des Trois Rois.* Notre auteur y use surtout du vers de huit pieds, avec, de temps à autre, quand il veut mettre une idée en relief ou que la rime se présente d'elle-même, un vers de cinq, ou plus rarement de quatre ou de trois pieds. Vers de cinq pieds qui constituent l'ensemble de quelques tirades — celle de l'arrivée sur scène d'Humanité, ou celle du retour de Luxure (vers 791-844) — tandis que

d'autres sont formés uniformément de vers de quatre pieds. Quant
à ceux de dix pieds, ils sont sensiblement plus rares, et n'apparaissent
que dans des circonstances particulièrement solennelles : lorsque se
présente Carême (vers 940-962) et Justice divine (vers 1518-1542).
L'enjambement est une rareté ; les pièces fixes — nous reviendrons
sur ce point —, inexistantes, au contraire de ce qui se passe dans le
théâtre du temps. Très rares aussi les cas d'un vers formé de deux
moitiés dites chacune par un personnage différent.

Les rimes sont assez faibles, et parfois même inexistantes : ainsi
en est-il, pour ne citer que deux cas, pour *dames* et *notables* (vers
260 et 261), *homme* et *sonne* (vers 287 et 288). Quant à leur dis-
position, elle est des plus variables. L'auteur use fréquemment sans
doute du schéma *aabaa* ; mais on rencontre souvent aussi trois vers
affectés de la même rime, les longs passages à rimes plates étant plutôt rares : citons pourtant les vers 262-320 et 324-325. Les sentences
latines, le plus souvent, constituent de véritables vers.

Jean d'Abondance, dans le *Gouvert,* use d'un vocabulaire savant,
ou mieux pédant: adjectifs en *-icque* tels que *tartaricque* (99), *deif-
ficque* (102), *plutonicque* (113 et 1663), *malignicque* (115, 1384
et 1666), *dyabolicque* (1386), *eticque* (1389); en *-ifz* dans une
tirade où se suivent *recreatifz, amatifz, desiderarifz, fictifz, intentifz* ;
termes recherchés, forgés sur le latin, comme *cogitation* (419), *pro-
genie* (763), *ocieux* (907), *remunere* (908), *pertinacité* (1593).

J'ai dit tout à l'heure que le *Gouvert* ne contenait aucune de ces
pièces à forme fixe, triolets ou autres, si nombreuses pourtant dans
les moralités, les sotties, les mystères et jusque dans les farces. Il est
vrai que par trois fois, aux vers 608, 616 et 626, le poète a répété
l'adage « Sic transit gloria mundi » : mais il est impossible de retrouver dans ce passage une pièce de ce genre. Et pourtant Jean d'Abondance avait des lettres, puisque, entre les deux derniers « Sic transit... », il insère le passage (vers 617-621):

> Où est David, où est Samson,
> Où est Hercules et Jason,
> Où est le grand roy Alexandre,
> Où est Hector, Agamenon,
> Où est le roy Lacedemon ?

vers qui, bien plus que la fameuse ballade des *Seigneurs du Temps
jadis* de Villon, rappellent celle d'un auteur inconnu qu'il m'a été
donné de retrouver il y a quelques années dans un manuscrit de la

Bibliothèque cantonale du Valais[1], datant de 1474 : ballade qui mentionne elle aussi David, Samson, Hercule, Alexandre et Hector, c'est-à-dire, à deux noms près, tous ceux qui figurent dans le *Gouvert*. Mais d'Abondance s'est contenté d'une sèche énumération, il n'a fait qu'enfiler huit noms, dont deux seulement ont un qualificatif, celui de « roy ». Occasion perdue pour notre écrivain.

Occasion perdue aussi que celle où, plus loin (vers 1347-1365), il reprend le vieux thème « Où sont... »[2], alors que Humanité regrette ses joies passées :

> Où sont perdrix, conilz aussi,
> Faisans, lappins et lappereaulx,
> Vins de Beaune, d'Arboys sans cy ?
> Mais où sont les frians morceaulx ?
> Où sont garces et juvenceaulx
> Où sont tabourins et auboys ?
> Icy j'endure plusieurs maulx :
> Resider me convient au boys.
> Où est le velours, le damas,
> Satin, que souloys gourmander ?
> Je fais icy d'ordure amas
> Pour mes vilz pechés amender.
> Où sont boucquetz, où sont fleurettes,
> Où sont les fresches bouch[el]ettes
> Et ces tetins tant doulx et blans ?
> Las, où sont tant de beaulx semblans,
> Tant d'uillades si penetrantes ?
> J'ay quicté tous esbatemens.

Vers qui ne manquent pas d'esprit, certes, et qui rappellent d'autant plus ceux de Villon que le « Mais où sont les frians morceaulx » du vers 1350 sont comme l'écho des célèbres « Mais où sont les neiges d'antan » des *Dames du temps jadis* et « Mais où est le preux Charlemagne » des *Seigneurs*, ballades dont le passage du *Gouvert* constitue au fond une amusante parodie. Parodie qui eût pu être aisément plus amusante encore : un coup de pouce, un peu

---

[1] P. Aebischer, *Le manuscrit Supersaxo 97 bis de la Bibliothèque cantonale du Valais : Le roman de « Ponthus et la belle Sidoine » ; Textes en vers*, in *Vallesia*, vol. XIV (1959), pp. 358-385.

[2] Sur les origines de ce thème, voir l'article précité, pp. 259-262, et surtout Et. Gilson, *Les idées et les lettres*, Paris 1932, pp. 9-30.

d'application eussent suffi à Jean d'Abondance pour faire de ce passage un petit chef-d'œuvre d'esprit. Ce n'était certes pas ses délectations passées, gastronomiques ou féminines, qui manquaient à Humanité pour que notre auteur eût pu, sans presque aucune peine, écrire ici une ballade ou deux, dont le vers 1350 eût été le refrain tout trouvé ; mais c'est qu'il lui manquait encore le tour de main, le métier, dont peu après il fera preuve en écrivant la *Cornette*.

UN FRAGMENT DE RÔLE COMIQUE
DATANT DU DÉBUT DU XIVe SIÈCLE
RETROUVÉ DANS UN MANUSCRIT DÉPOSÉ AUX
ARCHIVES CANTONALES DU VALAIS, A SION

Les archives sédunoises sont connues des spécialistes qui s'occupent de l'histoire du théâtre médiéval français grâce à une pièce fort importante qui y a été retrouvée à la fin du siècle passé: le fragment d'un ancien mystère qui nous a conservé quatre-vingt-sept vers que Bédier [1], à qui l'on en doit la publication, data de la première moitié du XIVe siècle, après qu'il en eut examiné tant l'écriture que la langue [2]. Comme ce texte est sans aucun doute peu connu en Valais — et nous verrons pourquoi —, je prends la liberté, en guise de proème, de résumer ici ce qu'en dit son éditeur — qui était alors au début de sa carrière scientifique, comme premier titulaire de la chaire de littérature française à l'Université de Fribourg nouvellement fondée: « Ce fragment m'est venu entre les mains d'assez curieuse façon. Il y a quelque temps, mon ami, M. le Professeur Franz Jostes [3], de passage à Sion, y visitait la vieille église de Valéria. Dans une crypte, soigneusement caché sous des pierres et du plâtre, il trouva un vrai monceau de parchemins, tout rongés par l'humidité du lieu. Il y fouilla, en fit sécher un grand nombre : c'était un amas de pièces d'archives, toutes écrites en latin et qui paraissaient offrir de l'intérêt pour l'histoire locale. La plus ancienne de celles qu'il examina était datée de 1290; d'autres, du XIVe siècle; la plupart, du XVe. Comment se trouvaient-elles en cette cachette ? Personne à Sion n'en sait rien. Peut-être y ont-elles été apportées par quelque ancien archiviste, aux jours de l'invasion française ; puis, quand le département du

---

[1] J. Bédier, *Fragment d'un ancien mystère,* in *Romania,* 24e année (1895), pp. 87-90.

[2] J. Bédier, art. cit., pp. 87 et 91.

[3] Le professeur Jostes était titulaire de la chaire d'histoire de l'art dans la même université.

Simplon devint le canton du Valais, l'archiviste étant mort et l'église
ayant cessé de servir au culte, nul ne sut retrouver le dépôt jadis
confié à la crypte.

» Au milieu de ces documents — continue Bédier —, M. F. Jostes
remarqua un feuillet de parchemin, seul de son genre : car il était
écrit en français et en vers. Avec l'agrément de deux conseillers d'Etat
qui l'accompagnaient, il l'emprunta ainsi qu'une douzaine d'autres
pièces. Il voulut bien me communiquer le fragment français et fit
part de ses autres trouvailles à des érudits qui s'occupent d'histoire
suisse. Il faut croire que ces documents sont de médiocre valeur, car
depuis le temps écoulé, ils achèvent, si je ne me trompe, de moisir
au fond de leur crypte. »[1]

Inutile de vouloir déterminer le sort qui a été celui des documents
mis au jours par Jostes : le fait est qu'à plus d'une reprise, depuis
quarante ans, j'ai tenté d'avoir des informations concernant le texte
dramatique heureusement publié par Bédier: personne n'en a jamais
entendu parler. Sans doute, sa valeur littéraire était-elle des plus
médiocres : mais son intérêt est de premier ordre pour l'histoire des
mystères et de leurs origines[2], du fait de la date même qui lui est
attribuée. Bédier a imaginé qu'il était de provenance étrangère : le
fait est que la langue dans laquelle il est écrit ne présente pas le
moindre franco-provençalisme qui pût laisser croire qu'il aurait été
copié, sinon composé, à Sion même. Mais nous allons voir qu'en ce
début du XIVe siècle, cette ville appréciait déjà le théâtre, et que le
fragment Bédier n'est pas le seul indice du goût des Sédunois pour
les manifestations artistiques de ce genre.

En effet, dans le fonds Flavien de Torrenté déposé aux Archives
cantonales du Valais, se trouve un manuscrit coté *A. T. Fl. ms 3* de
huit feuillets de parchemin, larges de 12 cm. et hauts de 22 cm.,
manuscrit qu'avec son amabilité habituelle, M. A. Donnet a bien
voulu me signaler et me confier momentanément. Ce qui nous intéresse directement est que ledit cahier a été muni d'une couverture
constituée par un fragment de parchemin de 23 cm. de haut sur
18 cm. de large, auquel a été cousu avec de la ficelle un autre fragment de parchemin de 25 cm. environ de longueur sur 13,5 cm. de
largeur : et c'est ce fragment qui, sur une face seulement — la face
actuellement interne — contient un texte qui, tout comme celui du
fragment Bédier, est en français et en vers.

[1] J. Bédier, art. cit., p. 86.
[2] Voir en particulier E. Roy, *Le Mystère de la Passion en France du XIVe au
XVIe siècle*, Dijon et Paris, s. d. [1903], p. 41.

Inutile de remarquer que notre fragment de « rollet » — car il s'agit évidemment d'un bout de rôle — n'est pas daté, pas plus que l'autre partie de la couverture, à laquelle manquent, et les premières lignes, et la fin, sans compter que les premiers mots de chaque ligne de ce qui reste ont été excisés, et que le tout a été fortement endommagé par l'humidité. Toutefois, la partie encore lisible de ce document montre qu'il s'agit d'un brouillon de testament, ou peut-être mieux d'un testament partiellement modifié en vue d'être recopié. Testament dont le testataire était incontestablement un ecclésiastique possédant une assez grosse fortune, sans doute un chanoine de la cathédrale de Sion : il laisse en effet au chapitre de cette ville divers immeubles, dont une grange qu'il acheta *a domino Willelmo domni episcopi Sedun. dapifero,* ainsi qu'une maison qui avait appartenu à *Willelmo de Solneria et filio quondam Nicholay...* Au même chapitre, il laisse encore tous ses autres biens meubles et immeubles, à l'exception d'un *psalterium glosatum* qu'il donne aux Frères Mineurs de Lausanne, et de quarante sols mauriciens qu'il lègue aux Frères Prêcheurs de la même ville. Enfin, il constitue une rente en faveur de l'autel, dédié à la Sainte Vierge, à saint Maurice et à ses compagnons, qu'il érigera en l'église de Valère. Etant donné que l'église des Dominicains de Lausanne a été construite en 1234, et que c'est en 1258 que les Frères Mineurs, c'est-à-dire les Cordeliers, s'établirent dans la même ville [1], il nous est interdit de dater notre testament d'avant 1258. D'autre part, le *dominus Willelmus domni episcopi Sedun. dapifer,* appelé plus souvent *dominus Willelmus senescalcus sedunensis* apparaît dans de multiples documents à partir de 1265 [2] ; et jusqu'en 1303 [3] : par contre, en 1307 il est question d'une *... domum quondam dnus Willermus senescallus Sedun...* [4], preuve que ce personnage ne vivait plus à cette date. Et comme notre testament ou brouillon de testament le mentionne sans qu'il le fasse précéder du *quondam* fatal, il est probable qu'il est antérieur à cette date de 1307. Ce qui semble confirmer cette hypothèse est que nous possédons une charte du 19 août 1301 dans laquelle ce même *dominus senescalcus Sedun.* est dit avoir *in testamento ultimo* édifié un

---

[1] E. Mottaz, *Dictionnaire historique, géographique et statistique du canton de Vaud,* t. II, Lausanne, 1921, pp. 54 et 55.

[2] J. Gremaud, *Documents relatifs à l'histoire du Vallais,* t. II, in *Mémoires et documents p. p. la Société d'histoire de la Suisse romande,* t. XXX, Lausanne, 1876, p. 99.

[3] J. Gremaud, op. cit., t. III, in *Mémoires et documents...,* t. XXXI, Lausanne, 1878, p. 63.

[4] J. Gremaud, op. cit., vol. cit., p. 130.

autel *in honore beati Anthonii et sancti Mauricii sociorumque sui, infra ecclesiam beate Maria Sedun. inferiorem,* autel qu'il avait doté d'une rente annuelle de cent sous mauriciens [1] : or il n'est pas invraisemblable qu'il ait rédigé ce testament dans les dernières années de sa vie, qui correspondraient à l'extrême fin du XIIIe siècle, ou aux toutes premières années du XIVe. En conséquence, nous ne risquons guère de nous tromper si nous attribuons notre testament ayant fini comme couverture au dernier quart du XIIIe siècle.

Nous disposons certes encore, pour nous faire une religion, du terrier proprement dit. Mais c'est que les huit feuillets qui constituent ce texte ne contiennent pas la moindre date eux non plus. Il s'agit évidemment d'un registre de reconnaissance en faveur d'un établissement religieux, sans doute du chapitre de la cathédrale ; les reconnaissances concernent un nombre considérable d'individus habitant les environs de Sion, les villages de Vernamiège, Grimisuat, Savièse, St-Germain, Ormone : mais, je le répète, aucune n'est datée. Seul le recto du dernier feuillet contient — d'une écriture contemporaine à celle des reconnaissances, mais non identique à celle du reste — la mention *In ista obediencia accipiunt isti canonici,* ainsi que d'autres personnages, la mention étant suivie d'une liste contenant entre autres les noms de *dominus Nicholaus de Bagnes, Anthonius Hubodi, dominus Nicholaus de Rarogne, dominus Huldricus* et *Petrus de Moniovet.* Or, à en juger d'après les textes publiés par Gremaud et la liste des chanoines de la cathédrale de Sion dressée par M. H. A. von Roten, le chanoine Nicolas de Rarogne est mentionné entre 1291 et 1299 [2] ; Anthonius Hubodi, clerc et chanoine de Sion, est dénommé *Anthonius Huboldi clericus* en 1279 et figure, en compagnie précisément de Pierre de Montjovet, dans un acte de 1282, où il est question d'*Anthonium Hubodi* et *Petrum de Montejoveto canonicos Sedun.* [3]. Il s'ensuit que la liste de bénéficiers ne peut être antérieure à 1279, puisqu'à cette date Anthonius Hubodi n'était pas encore chanoine, mais qu'il est improbable qu'elle soit postérieure à 1300, étant donné que Nicolas de Rarogne n'apparaît plus après cette date.

---

[1] J. Gremaud, op. cit., vol. cit., pp. 21-22.

[2] J. Gremaud, op. cit., t. II, pp. 431 (1291), 440 (1292), 451 (1293) et 527 (1299). Ces dates extrêmes sont relevées également par H. A. von Roten, *Zur Zusammensetzung des Domkapitels von Sitten im Mittelalter,* I. Teil, in *Vallesia,* vol. I (1946), p. 52.

[3] J. Gremaud, op. cit., vol. cit., pp. 233 et 312. Voir également H. A. von Roten, art. cit., II. Teil, in *Vallesia,* vol. II (1947), p. 57. Petrus de Monjovet a dû mourir peu après qu'il eut fait son testament *infirmus corpore,* le 28 février 1297 (J. Gremaud, op. cit., vol. cit., p. 500).

En bref, nous sommes, avec ladite liste, dans le quatrième quart du XIIIᵉ siècle : constatation corroborée par cet autre détail que Nicolas de Bagnes, chanoine de Sion, figure dans de très nombreux documents qui s'étalent entre 1252 et 1294 [1].

Il est sans intérêt pour nous de remarquer que la liste des bénéficiers a été établie postérieurement au terrier lui-même, étant donné qu'il mentionne d'une part *apud Sanctum Germanum Brunet dol Pasquer,* lequel paraît sous le nom de *Brunetus de Pascua* en 1259 et en 1270, et qu'il a dû mourir avant 1302-1304, puisqu'un texte parle alors du *filio Bruneti dol Pasquer de Savesia* [2], et que d'autre part notre recueil donne le nom d'un *heres Lamber de Olmona,* correspondant à la mention d'une *terram quam... colebat quondam Lambertus d'Ormuna* figurant dans un relevé des cens et revenus du chapitre de Sion dressé entre 1267 et 1276 [3].

S'il est donc possible que la liste des chanoines figurant à la fin du terrier a pu être dressée postérieurement à la compilation de ce dernier ; s'il est malheureusement exact que la mention du *Willelmus dapifer* du texte utilisé par la couverture dudit terrier ne nous fournit qu'une donnée approximative pour la datation du cahier de reconnaissances, et approximative encore pour celle du fragment littéraire qui seul nous intéresse, il n'en reste pas moins que, quoi qu'on fasse, nous nous heurtons toujours aux derniers lustres du XIIIᵉ siècle, date qui s'accorde à merveille avec les données paléographiques pouvant servir à la datation tant du terrier que des deux pièces qui en constituent la couverture. J'ajouterai cependant que l'écriture de notre reste de « rollet » me paraît très légèrement — j'insiste sur ce *très* — postérieure à celle des pièces que nous venons d'examiner : en attribuant celui-ci à la première moitié du XIVᵉ siècle, je fais en réalité preuve d'une telle prudence que j'ose même préciser que notre fragment date selon toute vraisemblance du premier quart de ce XIVᵉ siècle. C'est alors qu'un notaire sédunois, pour fabriquer une couverture au terrier, aura tiré de ce qui correspondait à notre actuelle corbeille à papier deux morceaux de parchemin qu'il aura cousus l'un à l'autre, un projet de testament datant de 1300 environ, et un bout de « rollet » postérieur de quelques années.

Bout de « rollet » qui contient vingt-huit octosyllabes plus ou moins complets, et un ou deux mots d'un vingt-neuvième vers.

---

[1] J. Gremaud, op. cit., vol. cit., p. 86 (1263), etc., etc., et p. 455 (1294). Cf. H. A. von Roten, art. cit., I. Teil, p. 52.

[2] J. Gremaud, op. cit., vol. cit., pp. 38 et 152, ainsi que p. 123.

[3] J. Gremaud, op. cit., vol. cit., p. 171.

L'écriture elle-même est assez soignée : le scribe a cependant oublié
parfois des signes abréviatifs, et il a mal copié, sans le comprendre,
un mot que je ne reconstitue que par conjecture, au vers 15. Malheureusement, les premiers mots des vers 9-19 sont plus ou moins effa-
cés, et l'utilisation des rayons ultra-violets ne m'a pas permis d'en
compléter la lecture, d'autant plus que tout le vers 9, ainsi que les
vers 15 et 16 ont presque disparu, du fait des trous et des déchirures
qui gâtent le fragment. Il faut insister aussi sur le fait que ce dernier
n'est qu'une copie, une copie due à un copiste qui n'a pas toujours
compris ce qu'il transcrivait. Dans le texte que je présente plus loin,
j'ai usé de *v* et de *u*, de *i* et de *j* selon l'usage actuel, usage que j'ai
suivi aussi en ce qui concerne la ponctuation et l'emploi des majuscules. D'autre part, j'ai placé entre crochets carrés les lettres que j'ai
pensé pouvoir ajouter et, lorsque j'ai procédé à quelque amendement,
j'ai donné en note la leçon du manuscrit.

Et voici donc notre texte :

Mays il vos est venu a nos,
De moy e de Piere dou Poçce,
Qu'ensennye [1] avons trestot ce :
A ce vos pooyz bien veoir
5 — Car il n'en puet pas mesch[e]oyr [2]
A prodome qui dos tant sages
Tient par marchanz e par messages —
Quant nos duy somes, biaz [3] sire Pierre,
Car danz de feyr ou danz de pierre
10 Avroyz oyant [4], an cest outon [5],
Ben [6] mangiez fea ou mouton
De [ce]ly qu'achetey [7] vos aye :
Car, deis chastrons, je ne m'emaye [8],
Gras e maygre, menu e grous.
15 V [   ] emant mays il sont tous

---

[1] Ms : *Quen sennye.*
[2] Ms : *meschoyr.*
[3] « Beau ». Ce mot est suivi d'un mot gratté et absolument illisible.
[4] Il s'agit sans doute de l'adv. *oan, ouan,* « en cette présente année ».
[5] « Automne ».
[6] La lecture de ce mot n'est pas sûre.
[7] Ms : *que achetey.*
[8] Ms : *ie nen me maye.* « Je ne m'effraie pas ; cela m'importe peu ».

Si pou formant qu'en aucun [1] tans
Ne puet un voyr se noyrs ou blans
An myo [2] de lour soyt gris ou ros,
S'il ont feseyri ne la tos ! [3]
20   An voustre afayre suy aploy[e]z [4]
Mays je remayn li mal loyez ! [5]
Et je vos pri que celz porcheç [6]
C'om [7] puist mangier an secochez [8]
Aucy chapons avoy gelines
25   En un'ola : car les eschines
Ou les chambres, certeynemant
Vos trametrey [9] par covenant :
Tres m'en doneyz [10], e les ensonges [11]
[   ] is menssonges

Je ne surprendrai personne, je pense, si j'avoue tout uniment
que je ne prétends pas avoir compris tout ce pauvre texte. Qu'est-ce
en particulier que le « an secochez » du vers 23 ? Je n'en sais rien.
Tel qu'il est, notre fragment permet certaines conclusions qui, nous
allons le voir, ne manquent certes pas d'intérêt.

------

[1] Cette émendation n'est pas absolument assurée : le ms a *qe* surmonté du
tilde, lequel paraît être suivi de l'abréviation pour *cum,* suivie elle-même de deux
jambages et d'un *u* tildé.

[2] Cette lecture n'est nullement certaine : seules les deux premières lettres *my*
sont nettes.

[3] « S'ils ont la douve du foie ou la toux ». Le mot *feseyri,* dont j'ai traité plus
haut, n'est plus attesté actuellement en franco-provençal : Mgr Gardette, consulté
à ce propos, ne connaît pas ce terme.

[4] Ms : *aployz.* C'est le part. pass. de *aployer,* « employer » en ancien français.

[5] « Mais je suis toujours le mal payé », c'est-à-dire celui qui reçoit un salaire
insuffisant.

[6] Mgr Gardette in litt., traduirait : « je vous prie que vous pourchassiez ceux-
là... » et verrait, justement me paraît-il, dans *porcheç* une deuxième personne, ou
du singulier, ou du pluriel, du subjonctif présent d'un verbe correspondant à l'ancien français *porchacier* ; il ajoute que l'ancien lyonnais connaissait *porchet,*
« action de pourchasser », identique comme formation à l'ancien français *pourchas.*

[7] Ms : *Com.* Le sens est évidemment « qu'on ».

[8] Ces deux mots sont pour moi incompréhensibles. Peut-être ont-ils été mal
copiés dans notre fragment.

[9] « Remettrai ». Le mot est suivi de *certaynemant* raturé et remplacé par *par
covenant,* écrit par notre copiste.

[10] « Donnez m'en trois ».

[11] Forme hypercorrecte du pluriel d'*axonge* « saindoux », dont F. Godefroy,
Dictionnaire de l'ancien français, t. VIII, p. 202, donne trois exemples anciens.

Tout d'abord, s'il est écrit incontestablement en français, ce français est assez fortement teinté de franco-provençalismes, qui sont
outon « automne » (vers 10), *fea* « brebis » (vers 11), *grous* « gros »
(vers 14), *feseyri* « douve du foie des moutons » (vers 19), *ola*
« marmite » (vers 25), *chambes* « jambes, pattes » (vers 26).

Si deux de ces mots ne se prêtent pas à l'étude de la localisation
de notre texte, du fait qu'*oton* « automne » ne se rencontre guère,
d'après l'*Atlas linguistique de la France* [1], en dehors de la Suisse
romande, qu'en de très rares points de la Haute-Savoie et de la Vallée d'Aoste, de même que *ola, oula* « marmite », d'après le même
Atlas [2], n'apparaît que dans l'Ain, l'Isère, le nord du département
du Rhône, la Drôme et la Vallée d'Aoste, alors que nous savons par
d'autres sources qu'au moyen âge il était bien connu en ancien fribourgeois, en ancien dauphinois et en ancien lyonnais [3], quelques
autres de nos termes méritent qu'on s'y arrête. *Fea* « brebis » correspond évidemment au *fâye* de la Suisse romande. Mais une zone
plus méridionale du franco-provençal connaît des formes bien plus
proches de la nôtre : l'*Atlas* donne en effet *fèya* dans les départe-
ments de l'Ain, de l'Isère et de la Drôme, ainsi qu'en un point du
Rhône [4]. — *Feseyri* « douve du foie » m'a tout l'air d'être un dérivé
en -*aria* d'un * *fese* « foie » qui se retrouve sans doute dans le *fèdze*
de la Suisse romande, mais mieux encore dans le *fèdho* de la Haute-
Savoie, de la Savoie, du point 924 de l'Ain [5]. — Le pluriel *chambes*,
avec son *ch-* initial qui s'oppose au *j-* du *jambes* français, correspond
à un type qui occupe toute la moitié sud de la France [6], et qui est
normal en particulier en franco-provençal, où on le rencontre en
Suisse romande, dans le sud du Doubs, du Jura et de la Saône-et-
Loire, ainsi (parfois avec un développement un peu aberrant) en
Haute-Savoie et en Savoie, dans l'Isère et quelques points plus
méridionaux.

Il résulte de ces observations que, s'il est impossible de localiser
exactement la provenance de notre fragment au moyen de critères
lexicologiques, nous pouvons cependant admettre que l'auteur de la

---

[1] J. Gilliéron et E. Edmont, *Atlas linguistique de la France,* carte N⁰ 75
(automne).

[2] J. Gilliéron et E. Edmont, op. cit., carte N⁰ 818 *(marmite).*

[3] Voir en particulier W. von Wartburg, *Französisches etymologisches Wörter-
buch,* vol. VII, p. 349.

[4] J. Gilliéron et E. Edmont, op. cit., carte N⁰ 173 *(brebis).*

[5] J. Gilliéron et E. Edmont, op. cit., carte N⁰ 585 *(foie).*

[6] J. Gilliéron et E. Edmont, op. cit., carte N⁰ 709 *(jambe).*

pièce, ou du moins le copiste de celle-ci, devait être, plutôt que Valaisan ou Suisse romand, originaire d'une région méridionale : peut-être venait-il des environs de Lyon ou même de Valence. J'ai dit naguère que le christianisme s'était introduit en Valais en partant de Lyon et en remontant le Rhône [1] : bien plus tard, la littérature a dû suivre la même route, Lyon étant au moyen âge le centre spirituel, le cerveau du franco-provençal.

Mais c'est surtout la date vraisemblable de notre fragment qui en constitue un document d'un intérêt extraordinaire. Nous avons vu tout à l'heure qu'il a dû être écrit au début du XIVe siècle. Quel que soit le contexte dans lequel il s'insérait, nous avons avec notre texte un des témoins les plus vénérables du théâtre français en langue vulgaire.

Que le lecteur veuille bien noter que, pour l'instant, je ne parle que de « théâtre » d'une manière générale, sans spécifier de quel genre, comique ou dramatique, il pouvait s'agir. Car il n'est pas facile de préciser à quel genre appartenait notre fragment. Le rôle de notre acteur n'était pas un rôle unique ; en d'autres termes, il ne s'agit pas d'un bout de monologue, puisqu'il est question d'un autre personnage qui devait sans aucun doute donner la réplique, personnage dénommé « biaz sire Pierre » (vers 8), lequel ne peut être que ce « Pierre dou Poçce » mentionné au vers 2. Vers qui, au surplus, fait état de deux compères, étant donné qu'il dit :

De moy e de Piere dou Poçce,

de même que le vers 8 a clairement :

Quant nos duy somes, biaz sire Pierre,

« quand nous sommes deux, beau sire Pierre ». Mais, cela établi, nous ne sommes guère plus avancés. S'agit-il d'un fragment de rôle de fou, servant par exemple d'introduction à un mystère ? Ou d'un fragment d'un simple dialogue comique ? La première de ces hypothèses ne peut être écartée sans autre, étant donné que déjà dans la *Passion du Palatinus*, texte très proche du fragment sédunois publié par Bédier, on a un rôle comique, celui de l'Hôte [2], et qu'au surplus

---

[1] P. Aebischer, *La christianisation du Valais à la lumière de quelques faits linguistiques,* in *Vallesia,* vol. XVII (1962), pp. 193-195.

[2] Voir Gr. Frank, *La Passion du Palatinus, mystère du XIVe siècle,* in *Classiques français du moyen âge,* No 30, Paris, 1922, pp. III et VI, note 1. L'éditeur, op. cit., p. X, dit à propos de cette pièce qu'elle pourrait dater du XIIIe siècle, mais que les remaniements dont elle a été l'objet sont du commencement du XIVe.

c'est un fait bien connu que, dans les mystères plus récents, rôles et épisodes comiques se font de plus en plus nombreux. Qu'il me suffise ici de citer les rôles du Badin et du Fou — rôles dans lesquels les allusions à la mangeaille foisonnent — du *Mystère de saint Martin évêque de Tours* joué à Saint-Martin-la-Porte, près de Saint-Jean de Maurienne, en 1565 [1]. Mais c'est là, il faut l'avouer, un cas séparé du nôtre par deux siècles et demi, si bien qu'une autre hypothèse me paraît meilleure, du moins pour l'instant : nous aurions dans notre fragment le reste d'un de ces dialogues dont le plus connu est *Le Garçon et l'Aveugle,* pièce qui daterait de 1276 à en croire M. R. Levy [2].

A quelque genre qu'il appartienne d'ailleurs, et si nulle que soit sa valeur littéraire, notre fragment présente un intérêt historique incontestable. Avec celui qu'a publié Bédier, il témoigne en premier lieu de la faveur qu'avait la population sédunoise pour les représentations théâtrales en ce lointain début du XIVe siècle, représentations tant de pièces religieuses que de pièces comiques. Mais son importance n'est pas que locale : par sa date même, il constitue un jalon dans une époque pour laquelle nous sommes bien mal renseignés en ce qui concerne le développement du théâtre, et particulièrement du théâtre comique. En effet, entre les deux pièces d'Adam de la Halle, le *Jeu de la Feuillée* et *Robin et Marion,* qui sont d'un style si particulier, et le *Dit des Quatre Offices* et le dialogue de *Maître Trubert et Antroignart,* dus à Eustache Deschamps, c'est-à-dire entre les alentours de 1260 et la seconde moitié du siècle suivant, c'est le vide presque absolu. Mentionnant les pièces de Deschamps, Petit de Julleville a écrit : « Voilà tout ce que nous fournit, en fait de comédie française, l'histoire littéraire du XIVe siècle. » Et il se demande : « Que faut-il en conclure ? Y eut-il interruption presque absolue de la veine comique au théâtre entre le temps de Philippe-le-Hardi et celui de Charles VII ? Ou bien les comédies du XIVe siècle, quelle que fût la forme qu'elles avaient pu adopter,

---

[1] Le texte de ce mystère a été publié par Fl. Truchet, *Histoyre de la vie du glorieux saint Martin...,* in *Travaux de la Société d'histoire et d'archéologie de la Maurienne,* vol. 5 (1881), pp. 200-367. J'en ai moi-même reproduit les tirades en patois dans ma *Chrestomathie franco-provençale,* in *Bibliotheca romanica* edendam curat W. von Wartburg, series altera, Scripta romanica selecta, III, Berne, s. d. [1950], pp. 77-81.

[2] *Le Garçon et l'Aveugle, jeu du XIIIe siècle,* édité par Mario Roques, in *Classiques français du moyen âge,* No 5, Paris, 1912. Sur la date attribuée à cette pièce, R. Levy, *Chronologie approximative de la littérature française du moyen âge,* in *Beihefte zur Zeitschrift für romanische Philologie,* fasc. 58, Tübingen, 1957, p. 23.

soit qu'elles rappelassent les satires et les pastorales d'Adam de la Halle, soit qu'elles annonçassent (comme il est plus vraisemblable) les farces et les moralités du siècle suivant, ont-elles péri tout à fait sans laisser aucune trace ? » [1] La présence même de notre fragment dans une reliure de terrier explique trop bien, hélas ! ce qui a dû se produire partout : une fois la représentation achevée, les textes des rôles, ne présentant plus d'intérêt, disparaissaient, et ce n'est que par suite d'un hasard qui tient presque du miracle qu'on en peut retrouver quelque trace dans une reliure. Fin lamentable d'autant plus prévisible que beaucoup de ces pièces se transmettaient, non point par un texte comprenant l'ensemble de l'œuvre, mais sous les espèces de multiples rouleaux sur chacun desquels ne figurait qu'un rôle. Sans doute Gustave Cohen a-t-il justement insisté sur l'importance qu'avait, lors des représentations des grands mystères, l'ordonnateur, qui non seulement avait la charge des décors, de l'enrôlement des acteurs et de leur surveillance, de la perception du prix des entrées, et de tant d'autres choses [2] ; sans doute a-t-il dit que « sur la scène, il se multiplie : livre en main, bâton levé, il sert de souffleur et de metteur en scène », que c'est lui qui porte le livre, c'est-à-dire le texte complet du mystère que l'on représentait [3]. Mais ce livre n'existait que pour les spectacles importants: lorsqu'il s'agissait de simples farces, de dialogues de peu d'étendue, les choses se passaient autrement, de façon bien moins compliquée. Etant donné que le souffleur était un auxiliaire alors inconnu, et que la mémoire des acteurs médiévaux, comme celle de leurs successeurs modernes, était parfois labile, lesdits acteurs s'aidaient eux-mêmes. Autour de l'index de la main gauche, ils tenaient, enroulés, une longue bande qui contenait le texte qu'ils devaient réciter, plus les derniers mots de celui des personnages auquel ils devaient donner la réplique. A mesure qu'ils parlaient, ils dévidaient leur « rollet » et, lorsque leur mémoire avait un trou, lisaient partie de leur rôle.

Il s'ensuivait donc que dans la pratique l'organisateur d'un spectacle pouvait commander au dehors, ou bien le manuscrit — ou, plus tard — l'imprimé complet de la pièce qu'il entendait faire représenter, ou bien seulement les « rollets » des divers acteurs. Mais, même dans le premier de ces cas, il prenait la précaution de copier ou de faire copier chacun des rôles que comportait la pièce. Nous

---

[1] L. Petit de Julleville, *La comédie et les mœurs en France au moyen âge*, Paris, 1888, p. 42.

[2] G. Cohen, *Histoire de la mise en scène dans le théâtre religieux français du moyen âge*, nouv. édit., Paris, 1951, p. 171 sqq.

[3] G. Cohen, op. cit., édit. cit., p. 173.

avons de ce détail un exemple typique avec le double texte d'une farce (ou d'une moralité) jouée sans doute à Vevey aux alentours de 1524 [1] : j'ai retrouvé il y a plus de cinquante ans aux Archives de l'Etat de Fribourg une quantité considérable de fragments de rôles d'acteurs ayant représenté des pièces en patois ou en français, et en particulier un fragment imprimé d'une moralité sans titre [2], ainsi que trois fragments manuscrits — l'écriture est de la seconde moitié du XVe siècle — d'un rôle féminin, celui de la Fille, qui apparaissait déjà dans le fragment imprimé. Sans doute ces deux textes, l'imprimé et le manuscrit, ne se superposent-ils pas; sans doute la partie manuscrite du rôle en question ne rend-elle pas une partie du texte imprimé : elle ne fait que la continuer, et la continuer incomplètement. N'empêche que cette menue découverte montre que quelqu'un, l'impresario, dirions-nous aujourd'hui, possédait le texte imprimé complet de la pièce, et que d'autre part il recopiait chacun des rôles sur des « rollets » qu'il confiait aux différents acteurs. Mais si l'ensemble des fragments découverts à Fribourg prouve la fréquence de cet usage vers 1500, alors que naturellement ces « rollets » étaient des bandes de papier cousues les unes aux autres dans le sens de la longueur, notre fragment sédunois suffit à démontrer que l'utilisation des « rollets » était bien plus ancienne, puisque, alors que le papier était pratiquement inconnu, on n'hésitait pas à employer le parchemin. Car, pour prouver que notre texte est bien un débris de « rollet », et non pas celui d'un texte complet d'une pièce de théâtre quelconque, il n'y a qu'à remarquer qu'on ne l'a utilisé que sur l'une de ses faces : son mode d'emploi même interdisait au copiste d'écrire sur les deux côtés du rouleau.

Guenille donc, mais chère guenille, dirons-nous avec le bonhomme Chrysale, que notre fragment sédunois. Non seulement parce qu'il atteste l'existence de pièces comiques au début du XIVe siècle, mais parce qu'il révèle quelques détails curieux et amusants sur la mise en scène dans le théâtre de cette époque. Du point de vue de l'histoire littéraire, ce misérable bout de parchemin, si nul qu'en soit le texte, n'en est pas moins un des plus précieux joyaux que conservent les Archives de Sion.

---

[1] Sur ces pièces en français ou en patois, voir mes études *Le lieu d'origine et la date des fragments en franco-provençal,* in *Archivum romanicum,* vol. XV (1931), pp. 512 à 540, et *L'auteur probable des farces en franco-provençal jouées à Vevey vers 1520,* in *Archivum romanicum,* vol. XVII (1933), pp. 83-92. Les articles en question sont réimprimés plus loin.

[2] P. Aebischer, *Fragments de moralités, farces et mystères retrouvés à Fribourg,* in *Romania,* vol. LI (1925), pp. 513-518.

LE *MYSTÈRE DE SAINT-BERNARD*
DE MENTHON

UNE ŒUVRE LITTÉRAIRE VALDÔTAINE ?

Dans une étude parue dans l'*Augusta Praetoria* [1], j'ai supposé, en passant en revue les noms de personne les plus usités dans la vallée d'Aoste aux XIIe et XIIIe siècles, qu'un certain nombre d'entre eux — il se trouve, mais ce n'est là qu'un hasard, que tous sont des noms de femmes — sont empruntés aux noms des héros des chansons de geste françaises : ainsi en est-il d'*Aiglentina*, mentionnée en 1147 [2], nom dû sans doute à l'influence de celui d'*Aiglentine* ou *Ayglentine*, fille d'Yon de Gascogne dans la chanson de *Gui de Nanteuil*, ou d'autres héroïnes portant ce même nom, dans les gestes de *Galiens li Restoré*, de *Gaufrey*, de *Parise la Duchesse* [3] ; ainsi en est-il de *Clarmunda*, citée en 1190 [4], qui représente évidemment une *Esclarmonde*, nom de la femme de Sorgalant dans *Maugis d'Aigremont* [5] et de la fille du roi Gaudisse, femme de Huon de Bordeaux, dans une geste de ce cycle. Nous en trouvons d'autres encore : *Sibilla* et sa belle-sœur *Floreta*, citées dans un acte de 1215 [6], *Mabilia, Blanchyflos* : et toutes ces dénominations, comme je l'ai dit naguère, témoignent de l'antiquité de la culture française dans la vallée d'Aoste. Sans doute peut-on supposer que ces noms n'étaient point parvenus aux Valdôtains d'alors par la connaissance directe — lecture ou audition — des chansons de geste, mais qu'ils les connurent et les employèrent parce qu'ils étaient à la mode, qu'ils étaient usités

---

[1] *Les noms de personne et l'origine des noms de famille d'après les plus anciens documents valdôtains*, in *Augusta Praetoria*, vol. VI (1921), p. 112.

[2] Cibrario, *Historiae Patriae Monumenta*, Chartarum t. II, col. 263.

[3] E. Langlois, *Table des noms propres de toute nature compris dans les chansons de geste imprimées*, Paris, 1904, p. 10.

[4] Cibrario, op. cit., Chartarum, t. II, col. 967.

[5] E. Langlois, op. cit., p. 196.

[6] *Miscellanea valdostana*, p. 156.

ailleurs, en Savoie par exemple. Mais même en ce cas, ils signifie-raient, indirectement au moins, qu'on s'intéressait aux héros des gestes françaises; et si un père donnait à sa fille le nom de *Blanchy-flos,* c'est pour le moins, à supposer qu'il n'avait pas lui-même lu le *Roman de Berte aux grands pieds* ou celui de *Macaire,* qu'il avait quelque idée de l'histoire de Blancheflor, reine de Hongrie, ou de Blancheflor, fille d'Aimeri de Narbonne: qu'il la connaissait en tout cas suffisamment pour savoir que ces personnages étaient célèbres, qu'ils sortaient de l'ordinaire, qu'ils représentaient en quelque sorte un idéal pour l'enfant qu'on devait dénommer. Car on ne donne pas facilement à un enfant un nom vil ou ridicule: on tend toujours, au contraire, à choisir un vocable qui rehausse la personne qui le porte. Et si certains prénoms nous paraissent parfois comiques ou grotesques, ce n'est point parce que ceux qui les ont choisis l'ont ainsi voulu, mais parce qu'ils ont trop bien fait, qu'ils sont tombés sur un nom trop rare, trop prétentieux, et que nous sentons une disproportion trop grande entre ce nom et la personne qui le porte.

Une autre supposition est encore possible : c'est que les auteurs des chansons de geste n'aient pas créé de toutes pièces des noms comme Sibille, Florete, Ayglentine, que ceux-ci appartenaient au vocable onomastique de l'époque, et que ces écrivains n'ont fait que les donner à leurs personnages. En ce cas, évidemment, les noms de ce genre usités dans la vallée d'Aoste ne pourraient être que des preuves de l'influence onomastique de la France, mais non pas de son influence littéraire. Je ne crois pas cependant que cette hypo-thèse soit à retenir : tous ces noms, en effet, ont quelque chose de spécial, d'artificiel, de poétique qui tranche sur le lexique ordinaire des noms de personne usités alors ; et ce caractère spécial tendrait à montrer que c'est bien par la littérature qu'ils ont été créés, que c'est aussi par la littérature qu'ils se sont propagés. Cette influence directe est toute naturelle, dans la vallée d'Aoste: les œuvres littéraires fran-çaises n'y étaient nullement inconnues au moyen âge, et dans un des châteaux de Fénis ou d'Issogne, on possédait par exemple un manus-crit de *Berte aux grands pieds.* Ce fait est prouvé par un inventaire datant de 1565 [1], mais il est hors de doute que ce manuscrit, comme beaucoup d'autres mentionnés en même temps, était dans la vallée depuis fort longtemps.

Mais il est, je crois une autre preuve, plus tardive à vrai dire, mais plus difficilement récusable, de la culture littéraire française

---

[1] F.-G. Frutaz, *Les origines de la langue française dans la Vallée d'Aoste,* Aoste, 1913, p. 29.

dans la vallée d'Aoste : je veux parler du *Mystère de Saint Bernard de Menthon* [1].

On connaît la trame de cette pièce dramatique, publiée en 1888 par Lecoy de la Marche [2] : c'est la vie même du saint fondateur de la maison du Mont-Joux, ainsi qu'elle nous a été transmise par plusieurs documents [3], spécialement par Richard de la Val d'Isère, l'un des successeurs de saint Bernard à l'archidiaconat de la cathédrale d'Aoste [4]. Le mystère, dont les premières pages manquent [5], commence par la scène dans laquelle Richard, seigneur de Menthon, annonce à son fils Bernard qu'il veut le marier. Malgré les prières de ce dernier, qui aurait désiré se faire prêtre, on convoque un conseil de famille aux fins de choisir la fiancée : on se décide pour Marguerite, fille du seigneur de Miolan, qui est

> Damoiselle bien gracieuse,
> Et, que myeulx vault, moult virtuouse [6].

Elle a même une qualité physique qu'on tient à bien spécifier : « elle ne pourte rien de gontre ». On envoie officiellement faire la demande en mariage, qui est acceptée, tandis que Bernard est tout soucieux. La scène est maintenant à Bourg-Saint-Pierre, où dix pèlerins français sont arrivés et font collation avant d'entreprendre le

---

[1] On sait que ce drame, adapté par Henri Ghéon, et intitulé *Merveilleuse histoire du jeune Bernard de Menthon,* a été joué, durant l'été 1924, à Annecy à l'occasion du millénaire de saint Bernard. La pièce a été transformée, en ce sens que l'adaptateur en a distribué le contenu en trois journées, un prologue et un épilogue. Cf. l'analyse de cette pièce, et de nombreux détails sur la date des représentations et la distribution des rôles, dans J. Désormaux, *Le Millénaire de St. Bernard de Menthon,* Annecy, 1924, pp. 21-22 et 31-34.

[2] Lecoy de la Marche, *Le Mystère de St. Bernard de Menthon,* Société des Anciens textes ; Paris 1888.

[3] Sur ces vies, cf. spécialement E. Pascalein, *Les Vies de St. Bernard de Menthon,* in *Revue Savoisienne,* t. 38 (1897), pp. 101-111.

[4] *Acta Sanctorum,* Junii II, col. 1074 sqq.

[5] Le commencement de la pièce se retrouve dans un autre mss., plus tardif mais plus complet, utilisé en partie par J. Fourmann, dans son travail intitulé *Ueber die Sprache des Mystère de S. Bernard de Menthon, mit einer Einleitung ueber seine Ueberlieferung,* in *Romanische Forschungen,* t. XXXII, Erlangen 1913, pp. 625-747. Ce commencement comprenait quatre scènes : à Paris, où Bernard fait ses études, et où son précepteur l'exhorte à suivre l'exemple de St. Nicolas ; à Menthon, où Richard et sa femme forment le projet de rappeler leur fils et de le marier ; à Paris de nouveau, où arrive le messager ; à Menthon enfin, où le précepteur rend compte des études de Bernard : Richard donne un grand repas, et c'est alors qu'il exprime son désir à son fils.

[6] Vers 281-282.

passage du Mont-Joux, si dangereux pour les voyageurs, gardé qu'il est par Jupiter et sa troupe de diables assoiffés de sang. De fait, au moment où les pèlerins parviennent au col, les diables se jettent sur eux, et l'un des « romiers » y trouve la mort. Les survivants, dispersés par la peur et les péripéties du combat, se rejoignent enfin à l'auberge de St-Remy et décident d'aller exposer leurs doléances à l'évêque d'Aoste, qui les reçoit avec bonté et leur promet, tout en faisant remarquer que ce n'est pas lui qui est responsable si le Mont-Joux est si périlleux à franchir — je reviendrai là-dessus tout à l'heure —, de détruire les êtres malfaisants qui en ont fait leur séjour. Le prélat engage l'archidiacre à s'occuper de l'affaire: celui-ci objecte qu'il est bien vieux, et demande que le clergé et le peuple d'Aoste soient convoqués. Pendant ce temps, à Menthon, Bernard supplie ardemment saint Nicolas et la Sainte Vierge de venir à son secours, tandis qu'on vaque fébrilement aux préparatifs de la noce au château de Miolan. Enfin, la veille même du mariage, Bernard s'enfuit, arrive aux portes d'Aoste, est reçu par l'archidiacre lui-même, mis au courant de tout par une révélation de saint Nicolas. Le chapitre s'assemble et reçoit le nouveau venu, sur la recommandation de l'évêque, au nombre des chanoines : c'est là-dessus que se termine la première « journée » du drame, qui était trop long pour être donné en une fois.

La seconde partie commence par le tableau du lever du jour du mariage au château de Miolan, de la douleur et de la colère de chacun quand on s'aperçoit de la fuite de Bernard. Le seigneur de Miolan veut défier le sire de Menthon et mettre ses domaines à feu et à sang ; la fiancée intervient, le père se calme, et Marguerite de Miolan déclare qu'elle suivra l'exemple de celui qui aurait dû être son mari, et se consacrera au service de Dieu.

A Aoste, l'archidiacre, vieux et malade, se démet de sa charge et meurt ; après de multiples instances, Bernard finit par accepter sa succession ; et, les pèlerins de France étant revenus de Rome, Bernard décide d'en finir avec les démons du Mont-Joux : tandis que tout le monde est en oraison, il gravit la montagne, arrive au sommet du col et, par ses prières, réduit Jupiter et sa troupe de diables à l'impuissance, pour les précipiter enfin dans les gouffres du Mont-Malet. Aussitôt après, il se rend au Petit-St.-Bernard et jette bas la colonne de Jupiter qui s'y trouvait. Il décide de bâtir, sur les deux cols, des établissements charitables, s'adjoint des clercs pour le service divin et pour celui des pèlerins. Enfin, comme la Lombardie était infestée d'hérétiques, il décide de partir pour Novare, où il trouve l'hospitalité dans un couvent, tandis qu'un messager arrive à

Menthon et dit aux vieux parents ce qu'est devenu leur fils : ceux-ci, heureux d'apprendre cette nouvelle et les merveilles accomplies par Bernard, forment le projet d'aller le voir et de lui remettre une partie de leur fortune. Le mystère se termine par l'indication, par le Meneur du Jeu, de la fin de la vie de saint Bernard, sa mort à Novare, ses miracles ; le Meneur recommande finalement le monastère du Mont-Joux à la générosité des fidèles.

Je ne veux pas insister ici sur les rapports existant entre la vie de saint Bernard, telle que nous la rapportent le Mystère et les *Vies,* et celle, bien connue, de saint Alexis [1], qui lui aussi s'enfuit de la maison paternelle pour rester chaste, la nuit même de ses noces ; ni sur les ressemblances, déjà indiquées très brièvement par Lecoy de la Marche [2], entre le zèle apostolique de notre héros et la vie de saint Nicolas, qu'il évoque si fréquemment, et qui lui aussi fit la guerre aux idoles. Et je ne veux mentionner qu'en passant l'analogie existant entre la vie de saint Bernard et celle de saint Fiacre : celui-ci encore est un enfant, d'une noble et riche famille d'Irlande, que ses parents voudraient marier à quelque noble jeune fille : mais le jeune homme a la richesse et le mariage en haine, et lorsqu'on le met en présence de la fille d'un comte, il s'enfuit, passe la mer et se fait ermite dans la région de Meaux ; et il n'est pas sans intérêt de voir que la vie de ce saint a servi de thème à un mystère, la *Vie de saint Fiacre* [3]. Je voudrais simplement ajouter quelques précisions à ce qu'a dit l'éditeur du Mystère, concernant la date de ce drame, et son auteur.

* * *

Lecoy de la Marche dit qu'il avait fait tout d'abord remonter la composition du Mystère à la fin du XIVe siècle [4] ; mais Petit de Julleville, se basant sur la longueur du poème, la complication de la mise en scène, le style et le caractère général de l'œuvre, a pensé que ce drame était un peu moins ancien, qu'il appartenait à la période

---

[1] Il est intéressant de constater que la vie de ce saint était très certainement connue au moyen âge dans la vallée d'Aoste : une des bibliothèques des châteaux de Fénis ou d'Issogne possédait une *Vie de St. Alexis,* mentionnée dans un inventaire dressé en 1565. (Cf. F.-G. Frutaz, *Les origines de la langue française dans la Vallée d'Aoste,* Aoste, 1913, p. 29.)

[2] Mystère, p. IV.

[3] Elle a été publiée par E. Fournier, *Le théâtre français avant la Renaissance,* 2e éd., Paris, 1872, pp. 18-35.

[4] Mystère, p. XVI.

de plein épanouissement du genre, c'est-à-dire au XVe siècle [1] : et
Lecoy de la Marche a reconnu courtoisement l'importance de ces
arguments, en admettant, pour la composition de notre mystère, le
milieu du XVe siècle.

Serait-il possible de préciser plus encore ? Les éléments dont nous
pouvons disposer, en dehors de la forme même du drame, ne sont
guère nombreux. Il est question, à diverses reprises, de certaines
pièces de monnaie :

Jamais ne querray [2] *fort* ne *cars*

dit le paralytique que Bernard vient de guérir; et le valet de l'aveugle
guéri lui aussi, dit à son maître qui ne le veut pas payer sous prétexte qu'il ne l'a « jamais vu »

... me paierés jusque a un *fort* [3]

Les clercs qui arrivent à Bourg-St.-Pierre demandent à l'aubergiste
de la *Croix blanche* — le nom figure dans le texte même — du vin
pour deux *blancs* [4], et le Meneur du Jeu, à la fin de la pièce, dit
qu'avant que Bernard eût délivré les passages des Alpes des démons
qui y séjournaient,

Le païs ne valoit ung blanc [5].

La dot de Marguerite de Miolan est comptée en « *escuz vielz* » [6] ;
il est question à plusieurs reprises de « *gros* » [7] et de *ducats* enfin :
c'est mille ducats que le seigneur de Menthon donne à son maître
d'hôtel pour aller à Genève faire les préparatifs de la noce [8], et c'est
mille ducats que demande le maître d'état pour construire une église
et un hôpital au Mont-Joux [9]. Les noms de *forts*, de *quarts*, de *blancs*,
de *gros* ne peuvent nous être utiles : ces monnaies, en effet, étaient
usitées dès le XIVe siècle en Savoie. Mais le terme de *ducat* peut
être intéressant, puisque c'est sous le règne du duc Amédée VIII, et

---

[1] L. Petit de Julleville, *Histoire du théâtre en France ; Les Mystères*, t. II, Paris, 1880, p. 438.
[2] « Je ne demanderai plus jamais ». Vers 4127.
[3] Vers 4154.
[4] Vers 3276.
[5] Vers 4291.
[6] Vers 551.
[7] Vers 651, 654, 659 et 814.
[8] Vers 1436.
[9] Vers 3250.

plus précisément en 1430 [1] qu'apparaissent les premiers ducats savoyards : par la suite, chaque prince fit battre cette monnaie. On peut objecter, évidemment, qu'il ne s'agissait pas de ducats savoyards: et effectivement, en 1335 déjà circulaient en Savoie des ducats génois [2]. Mais je crois néanmoins qu'il s'agit bien, dans notre texte, d'une monnaie savoyarde, car il serait pour le moins curieux qu'on eût compté les grosses sommes en une monnaie étrangère, et cela sans le mentionner. Il résulterait de tout cela que notre mystère ne pourrait être antérieur à 1430. Notons enfin, mais sans vouloir en tirer une conclusion, qu'il n'est jamais question, dans notre texte, des *testons,* tandis qu'y figurent les noms des autres petites monnaies savoyardes : ces testons, d'origine italienne, n'apparaissent en Savoie qu'en 1483 [3].

Serons-nous plus heureux avec le costume ? Il est question à plusieurs reprises de faire « abilliemens nouveaulx » [4], ou « biaulx abilliemens » [5], mais l'auteur ne donne pas le détail de ces vêtements : sans doute se savait-il peu compétent dans la matière. Deux passages, cependant, sont plus instructifs : dans le premier, le seigneur de Beaufort, convoqué pour le conseil de famille, dit au sire de Menthon qui le reçoit et lui souhaite la bienvenue :

> Helas ! mon seignieur, mecté sus,
> Car ce n'est pas aure [6] rayson
> De traire [7] votre chappiron [8].

Et lorsque le mariage de Bernard est décidé, Richard de Menthon dit à son fils :

> Il fault que aultremant ung se veste,
> Bernard ; ces robes sont trop longues.
> Ilz ne fault plus que tu me songe
> Sur ton livre ; estat fault changier.

---

[1] Domenico Promis, *Monete dei reali di Savoia,* t. I, Turin, 1841, p. 452, et *Corpus Nummorum Italicorum,* vol. I, Casa Savoia, Roma, 1910, p. 48.

[2] D. Promis, op. cit., t. II, p. 12.

[3] Cf. Promis, op. cit., t. I, p. 492.

[4] Vers 594-595.

[5] Vers 670.

[6] « Maintenant » ; cf. valdôtain actuel *ora* (Cerlogne, *Dictionnaire du patois valdôtain,* Aoste, 1907, p. 218).

[7] « Enlever, ôter ».

[8] Vers 166-168.

> Vest celle robe sans tarsier [1],
> Et t'abillie sur le galant [2].

Là-dessus, mentionne expressément la rubrique, « doibt vestir saint Bernard robe curte » ; après quoi le cousin du fiancé ajoute :

> Mi fault ly mestre de cousté
> Celle dague en lyeu d'escriptoyre.
> Une espée ly fault encore,
> Puis sera trés bien abeillé [3].

Ces renseignements, à vrai dire, sont encore bien vagues; et puis, il serait peut-être dangereux d'attribuer trop de valeur à ces indications concernant la mode, écrites dans un pays éloigné de tout centre, par un religieux peu au courant sans doute de ce qui était « sur le galant » ou non. Toutefois, ces quelques détails ne s'opposeraient pas — au contraire — à ce qu'on fixât la rédaction du mystère vers le milieu du XVe siècle. Ils supposent nettement la distinction entre « gens de robe longue » et « gens de robe courte »: Richard de Menthon, en effet, demande à son fils de quitter les vêtements longs, qui étaient ceux des étudiants, des clercs, des magistrats et des fonctionnaires, pour les vêtements courts, c'est-à-dire pour les vêtements vraiment civils. Or, suivant Quicherat [4], c'est entre le commencement du XVe siècle et 1440 que la robe courte supplante la jaquette qui, à partir de cette dernière date, reprend peu à peu le dessus, si bien que par la suite il n'y eut guère plus de place pour elle. Est-ce d'ailleurs une simple circonstance fortuite que les quelques détails concernant la toilette mentionnés dans notre mystère correspondent à ceux que nous ont laissés les douzième et treizième articles d'accusation contre Jeanne d'Arc ? Elle aussi portait, entre autres, une robe écourtée à la hauteur du genou, un chaperon découpé, une épée et une dague [5] : or ces accusations furent formulées en 1430. On pourrait songer, dès lors, à dater le *Mystère de St. Bernard de Menthon* du milieu à peu près du siècle. Il faut remarquer, en effet, que plus

---

[1] « Tarder ».

[2] Vers 341-347.

[3] Vers 352-355.

[4] J. Quicherat, *Histoire du costume en France depuis les temps les plus reculés jusqu'à la fin du XVIIIe siècle*, Paris, 1875, p. 279.

[5] Ary Renan, *Le Costume en France*, in *Bibliothèque de l'enseignement des Beaux-Arts*, s. d., p. 118.

on avance dans la seconde partie du siècle, plus le chaperon perd de sa popularité : on l'utilisa, il est vrai, encore pendant le règne de Louis XI [1], mais plus tard, c'est-à-dire après 1483, sous Charles VIII, il devint un attribut de la petite bourgeoisie. D'ailleurs, un autre argument s'oppose à ce que le mystère soit daté de la fin du siècle : c'est que, à la mort de Louis XI également, la mode revint aux robes longues [2], lourdes et traînantes.

Il est regrettable que Lecoy de la Marche, en parlant du manuscrit qu'il a publié, n'ait pas tenté de le dater de façon précise : il dit simplement qu'il est du XVe siècle [3] et que « s'il est postérieur à la composition du Mystère, ce ne peut être que d'un très petit nombre d'années ». Il serait intéressant de voir si l'écriture, elle aussi, nous ramènerait aux alentours de 1450 ou, plus sûrement, entre 1440 et 1460 environ. Quant au second manuscrit utilisé par Fourmann, il semble bien être du XVIe siècle, à en juger du moins par les détails que cet auteur donne — à son grand regret, il n'en a connu qu'une copie partielle, et n'a même pu l'utiliser librement —, telles les têtes, dessinées à la plume, qui ornent certaines grandes initiales, têtes qu'on trouve, ainsi que le remarque Fourmann, dans les reconnaissances féodales en Savoie à la fin du XVIe siècle — mais aussi plus tôt, sans doute, au moins si j'en juge d'après certains terriers de Fribourg, dressés au commencement du siècle, et qui ont déjà des dessins semblables.

* * *

Pour ce qui est de l'auteur, on ne trouve aucune indication dans le mystère lui-même, ni dans le texte publié par Lecoy de la Marche, ni dans les scènes du commencement analysées par Fourmann. Mais l'éditeur ajoute « qu'il appartenait très probablement au clergé, et spécialement au couvent du Grand-Saint-Bernard ».

Qu'il appartînt au clergé, c'est ce qui peut se déduire, non seulement du ton et de l'esprit général de l'œuvre, comme le dit Lecoy de la Marche, mais de quantité de détails : hymnes latins dont on trouve l'indication, çà et là [4], prières en vers français, prononcées

---

[1] Ary Renan, op. cit., p. 120.

[2] Ary Renan, op. cit., p. 128.

[3] Mystère, p. XXIII.

[4] Mystère, pp. 68, 69, 153 (*Te Deum*), 172 (*In manus tuas*), 173 (*Iste Confessor*). Je ne serais pas étonné si ces hymnes, indiqués dans les rubriques du texte, étaient chantés par tout l'auditoire.

par Bernard [1], par l'archidiacre [2], scènes des réunions, à diverses reprises, du chapitre de la cathédrale d'Aoste [3], avec des détails précis, quoique nécessairement abrégés, sur la nomination d'un chanoine et l'élection d'un archidiacre auquel l'évêque remet un bâton, en signe de la surveillance qui lui incombe du chœur de l'église, scène de l'arrivée des trois clercs étrangers qui rencontrent saint Bernard près de l'hospice qu'il fait construire, et auxquels le saint demande s'ils voudraient « estre pronunciez à entrer en religion » [4] et qu'il finit par ordonner et par garder auprès de lui pour le service de la nouvelle maison. Tous ces détails, toutes ces indications ne peuvent guère qu'être le fait d'un ecclésiastique.

Et que l'auteur appartînt à la maison du Mont-Joux, c'est ce qui apparaît plus clairement encore. Au commencement de la seconde journée, le Meneur du Jeu annonce au public qu'il va voir comment Bernard

> fonda le noble hospital
> De Mont Jou : au monde n'a tal
> Plus necessaire, ne mieulx faisant
> A riche ne a pouvre passant [5]

Lors de l'intermède qui précède les scènes de la mort de saint Bernard à Novare, ce même Meneur dit aux auditeurs que

> Bien avés entendu le cas
> De sainct Bernard jusques icy,
> Qui a détruit tel ennemy
> Et commença celle mayson [6].

Et plus loin, il convie les « bonnes gens » à donner

> Largement en celle mayson,
> Ou le peuple az refection.

Car n'est-ce pas saint Bernard, dit le Meneur du Jeu au peuple,

> Qui te delivra de servage
> Et asseura celluy passage ? [7]

---

[1] Cf. pp. 18-19, 34-35, 107-108, 118-120.
[2] P. 56-58.
[3] P. 78-82, 103-105, 109-114, 116-117.
[4] Vers 3321-3322.
[5] Vers 1893-1898.
[6] Vers 3716-3719.
[7] Vers 4283-4284 et 4289-4290.

Vers qui démontrent, en tout cas, que le Mystère — tel qu'il nous est parvenu, c'est-à-dire avec l'épilogue — était joué au Saint-Bernard : en parlant de « celle mayson » et de « celluy passage », le Meneur devait certainement faire un geste, et désigner l'hospice près duquel il jouait, et le col qu'il avait devant les yeux.

Il n'est pas jusqu'à la question des reliques du saint qui ne démontre que l'auteur du miracle appartenait au monastère du Mont-Joux : il fait dire à saint Bernard mourant

> Mon corps à la terre je rende
> Les os seront destribuez :
> En Oste seront toust pourté,
> Mays Mon-Jou aura la moytié [1].

Mais, comme le remarque Lecoy de la Marche [2], « ce vœu, prêté au saint par le dramaturge, ne fut pas exécuté. Peut-être le monastère du Mont-Joux... prétendait-il posséder la moitié des restes de son fondateur. Mais il est certain que le corps de celui-ci demeura intégralement à Novare, sauf quelques parcelles distribuées beaucoup plus tard aux chanoines du Grand-Saint-Bernard et à la famille de Menthon ». Les reliques d'un saint, au moyen âge, étaient chose si précieuse que les clercs étaient prêts à tout tenter pour les posséder, et qu'ils n'hésitaient pas à employer les moyens les plus risqués et les moins honnêtes pour les conserver. C'est pour cela que le mystère se termine par une véhémente protestation contre les moines de Novare qui gardaient indûment ces reliques :

> N'es ce pas a trestout grant faulte
> De laissier personne tant haulte,
> Je dy son corps, en terre estrange ?
> Au jour de huy chescun prent grant painne
> D'avoir le meilliers benefice ;
> Mays il n'è nulz qui soit propice
> De pourchassié d'avoir le corps
> De sainct Bernard, qui est dehors
> Le païs, en la Lombardie,
> A Novare, ou fenist sa vie.
> C'est grant vergoigne et grant domage

---

[1] Vers 3892-3895.
[2] Mystère, p. 171, note 1.

> Au païs et a son ligniage
> Et aus moines [1] de son couvant,
> Qui furent [1] asséz negligent... [2]

Une déchirure du manuscrit ne permet pas de connaître la suite : mais nous en savons suffisamment pour pouvoir juger que cette tirade, comme le reste du mystère, n'a pu être écrite que par un moine du Saint-Bernard, peiné que sa maison ne possédât pas les reliques du fondateur ; c'est le cas où jamais d'appliquer la maxime juridique bien connue *id fecit cui prodest*. Il semblerait même qu'à côté de son dessein d'édification, la représentation du Mystère en eût poursuivi un autre : celui de créer en quelque sorte parmi la population environnante, valdôtaine principalement — les vers cités plus haut (3892-3895) mentionnent que les reliques du saint devaient être partagées à parts égales entre Aoste (probablement la cathédrale) et le Mont-Joux, ce qui faisait que tout Valdôtain croyant et dévot à saint Bernard pouvait et devait s'estimer lésé — un mouvement d'opinion capable, à un moment donné, de provoquer la restitution d'une partie au moins des reliques auxquelles les religieux du Saint-Bernard estimaient avoir droit.

La fin du poème apporte une autre preuve encore que l'auteur appartenait à la maison devant laquelle on jouait le mystère : le Meneur du Jeu, après avoir résumé brièvement tous les titres qu'avait saint Bernard à la reconnaissance des populations des alentours, et en général de tous les voyageurs qui utilisaient les cols débouchant dans la vallée d'Aoste, fait un appel vibrant à la charité publique, montre les dépenses que demande la continuation de l'œuvre du saint, car, dit-il,

> Nous ne volons rien espargnier... [3].

Resterait à savoir de quelle contrée était originaire l'auteur du Mystère de Saint Bernard de Menthon, moine au Mont-Joux. Lecoy de la Marche ne se prononce pas. Il se contente de dire que « c'était un enfant du pays : la langue dont il s'est servi est, en effet, l'idiome littéraire de la Savoie, du Valais et du Val d'Aoste. C'est du français quelque peu mitigé par l'introduction de certains mots ou de

---

[1] Ces deux mots sont restitués par Lecoy de la Marche.

[2] Vers 4315-4328.

[3] Vers 4304. Les deux derniers mots sont rétablis par Lecoy de la Marche, le mss. étant déchiré ; mais cette restitution me paraît probable : il faut en effet une rime à *besongnier,* mot rétabli d'ailleurs lui aussi, mais qui s'impose presque.

certains tours de phrase appartenant au dialecte local, qui paraît n'avoir jamais été employé comme langue écrite » [1]. L'expression d'« idiome littéraire de la Savoie, du Valais et du Val d'Aoste » n'est pas très heureuse, d'une part; et d'autre part il n'est pas exact d'affirmer que le dialecte local paraît n'avoir jamais été employé comme langue écrite. Lecoy de la Marche localise fort peu ce dialecte local : et j'ai publié naguère un certain nombre de fragments de pièces comiques en patois de Vevey probablement, ou des alentours, pièces de peu postérieures à notre Mystère [2]. Ce qui est exact, par contre, c'est que la langue de notre drame est le français, avec très peu de mots ou d'expressions appartenant aux régions qui environnent le massif du Mont-Blanc.

Plus récemment, H. Chatelain [3] a tenté de réfuter l'opinion de Lecoy de la Marche, et a voulu montrer que l'auteur du Mystère, bien loin d'être un Savoyard, était un Picard établi en Savoie, où il composa son œuvre, et que son langage était du picard, avec des traits appartenant aux dialectes du sud-ouest. C'est avec raison que Fourmann a montré, dans un travail consacré à la langue du *Mystère de St. Bernard* [4], que les idées émises par Chatelain étaient erronées, et qu'à la vérité les soi-disant traits picards sont également des traits franco-provençaux. Et Fourmann, à la fin de son étude, revient à l'opinion de Lecoy de la Marche, savoir que l'auteur est bien Savoyard.

Il y aurait sans doute des remarques à faire sur cette étude, par ailleurs très détaillée et très consciencieuse. Fourmann a peut-être trop considéré la langue du mystère comme une véritable langue, sans tenir suffisamment compte du fait que l'auteur voulait parler français, mais qu'il ne connaissait cette langue qu'imparfaitement : et lorsqu'il ne savait pas, il inventait. C'est de cette façon, me semble-t-il, qu'il faut expliquer certains phénomènes phonétiques qui ne sont ni français ni franco-provençaux : il s'agit plutôt de fausses régressions. Trompé par des analogies, l'auteur écrivait des mots sous une forme qui n'était pas française, et qui n'était plus patoise. De tous ces faits, Fourmann tire la conclusion que le texte est d'origine savoyarde. Mais qu'entend-il par « savoyard » ? Il ne s'est pas

---

[1] Mystère, pp. XVIII-XIX.

[2] *Quelques textes du XVIe siècle en patois fribourgeois,* in *Archivum romanicum,* vol. IV (1920), pp. 342-361, et VII (1923), pp. 288-336.

[3] H. Chatelain, *Recherches sur les vers français au XVe siècle, Rimes, mètres, strophes.* Thèse pour le doctorat ès-lettres présentée à la Faculté des lettres de l'Université de Paris, 1907, pp. 30, 57, 66.

[4] J. Fourmann, art. cit., pp. 625-747.

demandé si le patois de l'auteur était d'en-deçà ou d'au-delà du Mont-Blanc ; dans sa bibliographie, il ne cite pas le *Dictionnaire* de l'abbé Cerlogne ; et, bien qu'il mentionne l'*Atlas linguistique de la France,* il ne s'en sert que fort peu : c'est dire qu'il n'a pas eu même le moyen de distinguer entre dialecte savoyard et dialecte valdôtain.

D'ailleurs, les différences phonétiques et lexicologiques entre ces deux patois sont secondaires. Certes, il ne serait pas possible, actuellement, de voir dans les contes de Cerlogne des productions littéraires savoisiennes ; mais il est plus difficile de décider, avec le peu de traits dialectaux qui ressortent du *Mystère de St. Bernard,* si celui-ci doit être attribué à la Savoie ou au Val d'Aoste. En tout cas, aucune des particularités dialectales mises en relief par Fourmann ne s'oppose à ce qu'on fasse du Mystère une œuvre valdôtaine. Et si cet auteur compte le patois valdôtain parmi les patois savoyards — ce qui peut se soutenir — il a raison.

Les rimes ne fournissent guère d'indice intéressant. Nous trouvons cependant une fois « *honoré* » rimant avec « comté de *Genevé* », ce qui aurait été impossible en français, puisque nous aurions *Genevois* dans notre texte. La forme *Genevé* appartient à la moitié méridionale de la France, mais elle ne permet pas de savoir à quelle partie du domaine provençal appartenait l'auteur. — Au vers 2747, nous trouvons l'expression *atou[t] le baston,* c'est-à-dire « avec le bâton ». Mais cela encore n'est pas un indice suffisant pour qu'on puisse localiser le texte : il est vrai que la vallée d'Aoste connaît aujourd'hui encore la préposition *atot* « avec » [1], en concurrence avec *avouë* [2] — qui se trouve également dans notre texte, par exemple dans « *avesque* moy » (vers 2834) —, mais *atot* n'est pas que valdôtain : on le retrouve couramment dans le Valais, à Genève, dans le Jura Bernois, moins dans les autres cantons [3]. Le *Dictionnaire savoyard* de Constantin et Désormaux ne le signale pas en Savoie, mais le fait que le mot se trouve à Genève me laisse penser qu'il devait exister plus à l'est, au moins anciennement. — Il en est de même du mot *herese* (vers 1041), écrit aussi : *herege* (vers 971, 1197), *erege* (vers 2798, 3432), « hérétique », et *synagogue* (vers 1040), avec le sens de « réunion, plus particulièrement de diables » : Cerlogne signale

---

[1] Cerlogne, op. cit., p. 85. Voir aussi R. Vautherin, *Nouveau dictionnaire de patois valdôtain,* vol. I, Aoste, s. d., pp. 481-483, qui note qu'*atot* est de plus en plus remplacé par *avouë.*

[2] Cerlogne, op. cit., p. 87.

[3] Sur *atò* « avec », voir le *Glossaire des patois de la Suisse romande,* vol. II, p. 93. Les formes *herege* et *synagogue* m'ont été communiquées par Gauchat.

le premier comme vivant encore aujourd'hui sous la forme *erèdzo* [1] et avec le sens de « sorcier », et le second sous la forme *senegogga*, « réunion de sorciers, selon les préjugés » [2]. Mais nous retrouvons ces mots dans le Valais : Gauchat a bien voulu me communiquer les formes suivantes: *èrèdzo*, Chamoson, Finhaut; *erezo*, Hérens, Lens; *érèdzo*, Liddes, *èrêzo*, Vissoye ; *irèdzo*, Vouvry ; *èredzo*, Champéry ; et *senégouga*, Vouvry; *sènègouga*, Praz de Fort; *senegouga*, Bagnes; *chènègôda*, Evolène; *chenigouda*, Nendaz; *chenegóoula*, Grimentz; *chinigóouga*, Miège. Et, au surplus, *herese, herege,* ainsi que *synagogue,* étaient connus en ancien français, avec précisément les sens que donne notre texte à ces mots [3].

D'autres mots encore ne permettent pas une conclusion plus précise. Ainsi en est-il de *bouter cuyre* [4], avec le sens de « mettre cuire ». On ne retrouve aujourd'hui *bouter = mettre* [5] qu'en Suisse française, sauf en Valais; la vallée d'Aoste possède aussi le mot, de même que la Savoie, les vallées vaudoises du Piémont, et d'autres régions plus au sud ; la Haute-Savoie a un compromis *mtâ,* ou *mètre.* Mais l'aire de répartition du mot a dû être autrefois beaucoup plus grande: c'est ainsi que Godefroy [6] en donne des exemples du nord de la France, de la Lorraine. — Lorsque saint Bernard est gravement malade, à Novare, il déclare qu'il ne veut que Notre-Seigneur comme *meyge* [7], comme médecin. C'est encore là, d'après l'*Atlas linguistique de la France,* une forme propre, aujourd'hui [8], à la Suisse française, et on ne la retrouve que très loin, en un point des Alpes-Maritimes et dans les Pyrénées-Orientales: et la Savoie et la vallée d'Aoste elles-mêmes ont répondu par « médecin » à la question que posait Edmont. Mais jadis ce mot était plus commun : Godefroy en donne des exemples qui sont certainement étrangers à notre région [9]. Nous

---

[1] Cerlogne, op. cit., p. 148. Cf. J. Gilliéron et E. Edmont, *Atlas linguistique de la France,* carte n° 1244, Sorcier.

[2] Cerlogne, op. cit., p. 271.

[3] Cf. F. Godefroy, *Dictionnaire de l'ancienne langue française,* t. IV, p. 461, et t. X, p. 734.

[4] *Mystère,* vers 1455.

[5] J. Gilliéron et E. Edmont, op. cit., carte n° 1627, Mettre. D'après une communication de Gauchat, *bouter* existe aussi en Valais, particulièrement au val d'Illiez et dans l'Entremont. Voir le *Glossaire des patois de la Suisse romande,* vol. II, p. 692.

[6] F. Godefroy, op. cit., t. I, pp. 711-712.

[7] Vers 3821 et 3844.

[8] J. Gilliéron et E. Edmont, op. cit., carte n° 830, Médecin.

[9] F. Godefroy, op. cit., t. V, p. 214.

rencontrons deux fois aussi la forme *livre,* pour « lièvre » [1] ; il serait intéressant de savoir si ce mot, pour l'auteur du mystère, était masculin ou plutôt féminin, comme aujourd'hui encore dans nos patois, mais le texte ne permet aucune décision sur ce point. Toujours est-il que des formes en *li-* se retrouvent [2] dans la vallée d'Aoste — qui a aussi, d'ailleurs, *lièvra* et *lèvra* [3] —, dans l'est du Valais, à Genève, dans la Haute-Savoie et en un seul point de la Savoie (ouest) qui a d'ordinaire *lyèvra* et *lèvra* : mais, une fois de plus, ces formes en *li-* étaient jadis plus usitées, puisque Godefroy [4] en donne des exemples provenant de textes de la Basse-Normandie. — Lorsque le père du saint sait enfin ce qu'est devenu son fils, il se promet, ainsi que sa femme, d'aller le voir, et il s'écrie alors que, une fois qu'il l'aura revu,

Plus joyeulx furnyray mes jours [5].

Cette forme, pour « finir, terminer », est intéressante aussi, puisque encore une fois elle nous ramène dans la région du Mont-Blanc : d'après l'*Atlas linguistique* [6], les formes en *furn-* ne se rencontrent plus qu'en Savoie, en Haute-Savoie, dans le Valais, dans une partie des cantons de Fribourg et de Vaud, dans la partie est enfin de la vallée d'Aoste: celle-ci a en effet aux points 966 (Courmayeur), 975 (Aoste), 986 (Châtillon), toujours des formes avec *fin-* (formes qui sont sans doute d'introduction plus récente), mais les points 985 et 987 (Champorcher et Ayas) ont des formes en *fron-* et en *fœrn-,* qui représentent exactement le *furnyray* de notre texte. — Mentionnons enfin le subst. *marron,* avec le sens de « guide de montagne » [7], à propos duquel Lecoy de la Marche remarque que « *marrons* ou *maroniers* est demeuré le nom des frères lais du Saint Bernard qui vont à la recherche des voyageurs égarés » [8]. C'est là un mot usité dans une aire restreinte, mais pas assez cependant pour qu'on soit obligé de choisir entre la Savoie et la vallée d'Aoste.

Il existe cependant un mot, dans notre texte, que je ne retrouve tel quel, ou presque, que dans les patois valdôtains à l'heure actuelle.

---

[1] Vers 1393 et 1430.

[2] J. Gilliéron et E. Edmont, op. cit., carte n⁰ 769 b, Lièvre.

[3] Cerlogne, op. cit., mentionne uniquement *lëvra,* s. f. Le *ë,* d'après la définition qu'en donne cet auteur, est un son qui se rapproche beaucoup de *i.*

[4] Godefroy, op. cit., t. X, p. 82.

[5] Vers 3711.

[6] J. Gilliéron et E. Edmont, op. cit., cartes 574, 575, 576, 577 et 578.

[7] Vers 832.

[8] Mystère, p. 38, note 2.

Dans un des monologues du Fol, monologue destiné, comme les autres, à mettre de la variété — au risque souvent de tomber dans la vulgarité, si ce n'est pis — dans la pièce, nous trouvons des vers fort obscurs, qui peut-être ont été mal copiés par le scribe du manuscrit qui nous est parvenu. On trouve entre autres les vers suivants :

> Les aranez et ambroquelles.
> Est il icy de maquerelles
> Ma feulyarde, d'environ ? [1]

Ces vers sont pour moi incompréhensibles : je ne connais le sens, en effet, ni de *aranez,* ni de *feulyarde,* et je ne sais ce que *maquerelles* vient faire ici. Il y a toutefois un mot, non compris par Lecoy de la Marche [2], que je puis expliquer : c'est *ambroquelles.* C'est évidemment le même mot que le valdôtain actuel *ambrecalle,* s. f. pl., « myrtilles » [3], dont *ambroquelles* n'est qu'une forme francisée. Or cet *ambrecalle* a ceci de particulier qu'il est uniquement valdôtain : au nord, dans le Valais, on n'a que des formes sans suffixe diminutif, telles que *anbròtse* à Vouvry, *inbrœθa* à Champéry, *anbròθa* à Troistorrents, et une seule forme diminutive, mais avec le suffixe -(i)ola et non -ella, *anbrezòla* à Port-Valais [4]. A l'ouest, en Savoie, on a des formes *anborzàla* (Thônes), *anborzàle* (Demi-Quartier), *anbrezàla* (Thônes), *anbrezòla* (St-Paul), *anbregàle* (Samoëns) [5]. L'identité d'*ambroquelles* et d'*ambrezàla* a déjà été soupçonnée par les savants auteurs du *Dictionnaire savoyard* : mais il faut remarquer que les formes savoyardes ne rendent pas complètement compte du mot qui figure dans notre texte. Il serait osé toutefois d'attribuer le *Mystère de Saint Bernard* à la vallée d'Aoste uniquement sur le témoignage d'un seul mot. Cet *ambroquelles,* en effet, peut être dû au scribe et non à l'auteur: à supposer qu'on ait eu un **ambrozelles,* par exemple, ce mot rimait tout aussi bien que l'autre avec *maquerelles* : l'auteur n'était pas difficile, en ce qui concerne les rimes.

---

[1] Vers 722-725.

[2] Cf. le glossaire à la fin du Mystère, p. 191.

[3] Cerlogne, op. cit., p. 271. A. Chenal, R. Vautherin, op. cit., vol. cit., p. 213, qui, enregistrant *ambrocalle, ambrecalle,* « myrtilles », remarquent que ce mot n'est connu que de la partie centrale de la vallée d'Aoste : la haute vallée use de *loufie,* et la basse de *brovaco.*

[4] Voir le *Glossaire des patois de la Suisse romande,* vol. I, p. 383.

[5] Constantin et Désormaux, *Dictionnaire savoyard,* Paris et Annecy, 1902, p. 18. La forme *ambérgale* est également attestée à Sixt (point 956) par J. Gilliéron et E. Edmont, op. cit., carte n° 1751, Airelle.

Un autre mot encore mérite une mention. Lorsque le valet de l'aveugle a été payé par son maître guéri miraculeusement, il s'écrie :

> Ne resterai de querir huy
> Tant que je treuve ung aultre *orbache* [1].

Et Lecoy de la Marche rapproche avec raison ce mot de l'italien *orbaccio*, « aveugle ». Il s'agit évidemment d'un terme d'importation italienne. A dire vrai, il n'est mentionné dans aucun des dictionnaires des patois savoyards, pas plus que dans celui de Cerlogne [2]. S'il s'agit d'un mot couramment employé au temps où vivait l'auteur du Mystère, il faudrait admettre, semble-t-il, qu'il a disparu par la suite. Quoi qu'il en soit, puisqu'il s'agit là certainement d'un mot importé, cette importation ne s'expliquerait-elle pas plus facilement, si l'on admettait que le dramaturge parlait le dialecte valdôtain ? De deux choses l'une : ou bien le terme *orbache* était connu, vers 1450, tant en Savoie que dans le Val d'Aoste : et alors il ne peut servir à une démonstration quelconque ; ou bien — ce qui me paraît plus probable — il était usité uniquement dans la vallée d'Aoste : et alors, ce serait une preuve de plus que le Mystère a été écrit par un Valdôtain.

Il y a quelques faits sociaux, pour ainsi dire, dus incontestablement à l'auteur, et non au scribe, qui fortifient l'opinion que le dramaturge était originaire de la vallée d'Aoste. Lorsque les dix pèlerins français ont bu et mangé à l'auberge de la *Croix-Blanche* à Bourg-Saint-Pierre, qu'ils ont goûté au « vin roge de Valez », à celui « de Val d'Oste » et au « muscadel », ils demandent leur compte à l'hôte, et celui-ci leur fait deux gros à chacun. L'un des pèlerins se récrie [3], il prétend que trois sols par homme, ce serait assez ; l'aubergiste n'en veut rien entendre, et les pèlerins finissent par payer vingt gros pour eux tous, soit le prix demandé. Mais la scène change lorsqu'ils sont à l'auberge de Saint-Remy, après qu'ils ont passé le terrible col et qu'ils y ont laissé un des leurs : là également, ils mangent et boivent de différents vins

> De blanc, de vermel, de soret,
> D'ung et d'aultre plus alegret [4]

---

[1] Vers 4196.

[2] D'après l'*Atlas linguistique,* carte nᵒ 80, Aveugle, la vallée d'Aoste ne connaît aujourd'hui que les types *aveugle* et *borgne.*

[3] Vers 853-862.

[4] Vers 1010-1011.

Mais l'hôte ne les vole point : il leur demande à chacun trois sols, c'est-à-dire exactement ce qu'ils voulaient payer à l'aubergiste de Bourg-Saint-Pierre. En un mot, si l'on compare ces deux scènes populaires, qui ne manquent par ailleurs ni de vie ni de couleur, la comparaison est tout en faveur de la bonne auberge valdôtaine.

Il y a autre chose encore. Les pèlerins arrivent à Aoste, et demandent à voir l'évêque. Celui-ci les reçoit très paternellement ; les romiers lui disent combien a été terrible la traversée du col, et insistent sur le fait du danger qu'il y a pour les pèlerins de tous pays de passer cette montagne où chacun risque sa vie. L'évêque leur répond qu'il sait tout cela, mais leur fait remarquer qu'il n'est pas responsable, car

> La ou cest diable sont posé,
> C'est en l'eveschié de Sion :
> Pour quoy ore nous vous disons
> Que a leur appartient l'office [1].

C'est-à-dire que ce serait à l'évêque de Sion, de qui dépendait le territoire sur lequel se trouve aujourd'hui le monastère, à faire cesser les attaques incessantes de Jupiter et de ses diables contre les pauvres voyageurs : et, effectivement, la remarque était très juste. Mais si c'était un Valaisan qui avait écrit le Mystère, se serait-il exprimé de la sorte, alors qu'après tout ce détail n'était pas absolument nécessaire ? Et si l'auteur était Valaisan, n'aurait-il pas plutôt donné le beau rôle, celui du restaurateur à prix modérés, à l'aubergiste de la *Croix-Blanche* ? On pourrait évidemment supposer que ce n'était point par patriotisme, ou plutôt par esprit de clocher, que le dramaturge s'était exprimé ainsi, mais qu'il l'avait fait pour ménager son public ; il faudrait admettre en ce cas que le public qui gravissait le Mont-Joux pour la fête du saint fondateur, le 15 juin, date probable de la représentation du Mystère [2], était en majorité valdôtain, et composé principalement des « bonnes gens » de Saint-Remy et des environs. Mais ce ne serait là qu'une pure hypothèse : fort probablement les habitants de Bourg-Saint-Pierre et même de plus en aval étaient-ils là eux aussi, eux, des sujets au spirituel, et peut-être même au temporel, de l'évêque de Sion, successeur de celui auquel les pèlerins du mystère devaient sans doute reprocher de n'avoir point fait son devoir.

---

[1] Vers 1131-1134.
[2] Cf. Mystère, p. XVIII.

Dans son *Histoire littéraire de la Suisse française* [1], Philippe Godet se demande s'il serait permis de compter le Mystère au nombre des œuvres dramatiques nées en Suisse romande. Il signale les remarques de Lecoy de la Marche concernant la langue du drame, et ajoute que certains détails rattachent celui-ci à la Suisse : lorsque le sire de Miolan défie le sire de Menthon, il jure par « Notre-Dame de Lausanne » [2]; l'hôte de Bourg-Saint-Pierre vante son vin du Valais aux pèlerins qu'il traite ; « enfin — dit Godet — qui ne reconnaîtrait le caractère indigène à ce mot de la fin : « Allons boire !... ».

On me permettra de ne pas essayer de réfuter ce dernier argument qui est, sous la plume du spirituel écrivain neuchâtelois, plus un trait d'esprit qu'autre chose. Quant aux précédentes objections, il est aisé d'en montrer le peu de valeur. S'il est vrai qu'une fois un des personnages jure par Notre-Dame de Lausanne, il n'est pas moins exact qu'ailleurs Richard de Menthon jure par « Notre-Dame de Liance » [3], soit Notre-Dame de Liesse, nom d'une église d'Annecy autrefois très vénérée ; et ce même personnage prend ailleurs saint Gilles à témoin [4] : or saint Gilles, comme on le sait, est le patron de l'église de Verrès. Et voilà qui nous donne le choix, une fois de plus, entre la Suisse, la Savoie, la vallée d'Aoste. Mais sont-ce des arguments sérieux ? — Le dernier ne l'est pas plus : à côté du vin du Valais, l'aubergiste de la *Croix-Blanche* vante en effet, dans le vers qui suit immédiatement, le vin de la vallée d'Aoste : il est donc impossible de rien tirer de ces détails, qui ne montrent qu'une chose, c'est que, en tout cas, l'auteur est né quelque part au pied du massif du Mont-Blanc.

Mais, par ailleurs, ces détails n'infirment nullement la conclusion qu'on peut tirer, il me semble, des remarques faites auparavant : savoir que le dramaturge, auteur du *Mystère de St. Bernard de Menthon,* clerc et religieux au Mont-Joux, était Valdôtain. Cette hypothèse, en tout cas, explique tout : et ses pointes contre l'aubergiste de Bourg-Saint-Pierre et contre l'évêque de Sion, et les mots *ambroquelles* et *orbache.*

Son œuvre n'est pas quelconque. Sans doute garde-t-il, en écrivant le français, des mots et des tournures du terroir ; mais il versifie avec une certaine facilité et témoigne de quelque souci littéraire :

---

[1] Ph. Godet, *Histoire littéraire de la Suisse française,* Neuchâtel et Paris, 1890, pp. 29-30.
[2] Vers 2112.
[3] Vers 19.
[4] Vers 1401.

Lecoy de la Marche a déjà dit [1] que « l'art d'enchaîner les péripéties et d'amener les effets ne lui est nullement inconnu ». Ses caractères ont de l'unité, et il s'est attaché aussi à les diversifier. S'il a largement puisé dans les *Vies* latines de saint Bernard, il n'en a pas moins fait œuvre personnelle, en mettant en scène les chanoines de la cathédrale d'Aoste, les pèlerins, les « citoyens » de la ville d'Aoste, les démons et leur chef : et tout cela a de la vie. C'était un homme qui très certainement avait fait ses études en France, où

> ... a bien gens de valeur [2]

et qui avait dû voir jouer de nombreux mystères : en écrivant son œuvre, il a suivi les traditions littéraires de son époque, en saupoudrant le drame de quelques scènes comiques, arrêts de pèlerins dans les auberges, monologues du fou, dispute de l'aveugle et de son valet. Et le système même de versification, ces prières du saint en vers de huit et trois pieds [3], en vers de cinq pieds aussi [4], se retrouvent dans nombre d'autres mystères, lorsque des personnages sont dans une situation tragique ou émouvante.

Le *Mystère de Saint Bernard de Menthon* est donc un témoignage direct de la culture littéraire française dans la vallée d'Aoste probablement, ou en tout cas dans les régions avoisinantes. Et comme l'a fort bien remarqué Lecoy de la Marche [5], ce mystère prouve clairement ceci encore : que les habitants des alentours qui assistaient à la représentation — car il est hors de doute que cette pièce a été représentée, et vraisemblablement plus d'une fois [6] — « tout en parlant un patois particulier, comprenaient également le français pur, puisque l'ouvrage a été composé pour eux ». La langue française

---

[1] Mystère, p. XX.
[2] Vers 1111.
[3] Mystère, pp. 34-35.
[4] Mystère, pp. 107-108 et 118-120.
[5] Mystère, p. XX.
[6] Lecoy de la Marche admettait (page XVIII) que le Mystère était joué le 15 juin, jour de la Saint-Bernard, au Grand-Saint-Bernard même ; ce jour-là, « les habitants des vallées voisines venaient célébrer avec les moines la mémoire de celui qui avait délivré leurs pères d'un joug odieux ». Fourmann (art. cit., p. 655) voit là une hypothèse qu'on ne peut ni combattre ni soutenir avec certitude : il remarque que les archives du Grand-Saint-Bernard ne donnent aucune indication à ce sujet, mais que la mise en scène, très simple, rendait possible la représentation de la pièce au Mont-Joux même. Pour ma part, je crois que la représentation avait bien lieu au Saint-Bernard : j'ai déjà fait remarquer plus haut les expressions « *celle* mayson » (vers 3719, 4283), « *celluy* passage » (vers 4290) qui ne peuvent guère se comprendre que si l'acteur était au Mont-Joux même, ou dans les environs, et qu'il désignait en même temps qu'il parlait l'hospice et le col qu'il avait

n'était donc pas réservée uniquement à la noblesse, aux intellectuels :
si les châtelains d'Issogne ou de Fénis lisaient *Berte aux grands pieds,*
ou les *Vies* de saint Léger, de saint Alexis, ou des *Contes et fabliaux*
pour damoisiaux, ou encore le *Roman de la Rose* [1], le peuple avait
sa littérature, française également : des pièces de théâtre, comme le
Mystère de Saint-Bernard, qu'on jouait au Mont-Joux, ou ailleurs
dans la vallée. Ainsi, « en Aoste », la langue française n'était-elle pas
seulement la langue des lois et de la chaire : elle était aussi celle du
plaisir de l'esprit. Elle était en quelque sorte la sublimation de la
langue de tous les jours : elle représentait, pour les Valdôtains du
XVe siècle déjà, un idéal.

---

devant les yeux. Cela ne signifie d'ailleurs nullement que, par la suite, notre mystère n'ait pu être représenté ailleurs, à Aoste par exemple, où, selon une communication faite par le chanoine F.-G. Frutaz à Fourmann, le Mystère « a été joué
plusieurs fois... à la Maison de Saint-Jaquème, où résidaient le prévôt, les novices
et douze religieux du Saint-Bernard. Il a été représenté entre autres en 1656 par
les élèves du Collège d'Aoste dans le verger du Palais Roncas en présence de la
Duchesse Jeanne-Baptiste de Savoie-Nemours et de son fils le prince Charles-
Emmanuel de Savoie... » (Fourmann, p. 657). Fourmann cite encore (p. 656) une
lettre du comte Pierre de Viry, dans laquelle celui-ci admet que la représentation
du mystère tel qu'il nous est connu par le manuscrit de Menthon était l'occasion
d'une quête, ce que j'admets également. Mais, suivant le même érudit, cette quête
ne pouvait se faire sur le Grand-Saint-Bernard, car les gens à bourse bien garnie
n'y montaient pas en partie de plaisir : elle devait avoir au contraire lieu à Aoste
ou dans les environs. D'où la conclusion : c'est dans la vallée qu'avait lieu la représentation du mystère. Il ajoute que la représentation « était faite en dehors d'un
couvent de Chanoines augustins. Car on n'eût pas dit en pareil lieu

... aux moines de son couvent
Qui furent asséz negligens (vers 4327 sqq.).

Ce passage n'a nullement la valeur que veut lui attribuer M. de Viry : un des successeurs des disciples immédiats de saint Bernard pouvait fort bien en vouloir à ces
disciples, aux moines du couvent même dont le saint avait été le supérieur, de ce
qu'ils n'avaient pas tenté l'impossible pour obtenir les précieuses reliques auxquelles ils avaient pourtant droit. Et ce « son couvent » n'est là que pour donner
plus de force à l'idée que la conduite de ces religieux, dont l'hospice devait pâtir
durant des siècles, était inqualifiable. Quant au fait que la quête ne pouvait avoir
lieu au Grand-Saint-Bernard, que pour être fructueuse elle devait être faite dans
la vallée et que la représentation du mystère se faisait par conséquent dans la vallée aussi, il n'y a pas lieu d'en tenir compte : ce serait donner au Mystère un
caractère commercial qu'il n'a pas : si l'auteur y fait appel à la générosité des
fidèles, la question des reliques l'intéresse tout autant ; le but du mystère était plus
noble et plus religieux : c'était l'édification des assistants, avant tout, et je ne crois
pas que le désir des organisateurs du spectacle ait été, prosaïquement, celui de
« faire le maximum ».

[1] Cf. F.-G. Frutaz, *Les origines de la langue française dans la Vallée d'Aoste,*
Aoste, 1913, p. 29.

LE LIEU D'ORIGINE ET LA DATE
DES FRAGMENTS DE FARCES EN FRANCO-PROVENÇAL
RETROUVÉS A FRIBOURG

Ainsi que je l'ai dit dans l'avant-propos, c'est en 1920 qu'en recherchant des matériaux pour une étude sur l'origine des noms de famille fribourgeois, je mis la main, en examinant un terrier du commencement du XVIe siècle conservé aux Archives de l'Etat de Fribourg, sur une centaine de fragments de papier dont un relieur avait fait, en les coupant, en les rognant et en les collant les uns contre les autres, le carton formant la couverture du volume. Il y avait là, à côté de gribouillages sans intérêt, seize fragments de farces écrites en franco-provençal, trois farces françaises, une manuscrite et les deux autres imprimées [1], d'autres débris de moralités, de farces et de mystères, en français, datant de la seconde moitié du XVe siècle [2].

Quant à la date qu'il fallait assigner à ces textes, et à leur patrie, voici ce que j'écrivis alors : « Ces fragments ainsi que la plupart de ceux que je publierai dans la suite, sont de la même main : c'est évidemment une écriture du commencement du XVIe siècle, mais il est impossible de préciser plus. Les diverses reconnaissances dont se compose le terrier ont été faites entre 1515 et le mois d'octobre 1518 : elles n'ont pu être évidemment mises en ordre et reliées qu'après cette dernière date ; mais il est tout aussi évident que, pour être employés à la reliure, les fragments ont dû être écrits avant : et si l'on remarque que, parmi les fragments français que j'ai retrouvés, existe un passage

---

[1] Elles ont été publiées, sous le titre *Trois farces françaises inédites trouvées à Fribourg,* dans la *Revue du XVIe siècle,* vol. XI (1924), pp. 129-192, et l'éditeur de la revue en a fait un tirage à part mis dans le commerce avec nouvelle pagination. Une autre édition de ces mêmes farces, avec une introduction tout à fait différente, a paru sous le titre *Trois farces du XVIe siècle,* 93 pages in-8, Fribourg MCMXXVIII, et a été tirée à cinquante exemplaires seulement, pour la société de bibliophiles « L'Arbre Sec ».

[2] Ils ont été publiés sous le titre *Fragments de moralités, farces et mystères retrouvés à Fribourg,* in *Romania,* vol. LI (1925), pp. 511-517.

d'un *Mystère de la Passion,* celui peut-être joué à Estavayer en 1518, il ne me semble pas trop osé de placer la composition des textes patois aux alentours de 1520, peut-être cinq ans avant ou cinq ans après. Quant à l'auteur, il est totalement inconnu : il est possible qu'il faille le chercher dans ce groupe de notaires, de bourgeois cossus et lettrés — le maréchal et marchand de fer Grosclaude Tuppin écrivait ses comptes en patois, en français et en latin — de prêtres instruits, qui composaient la société cultivée d'Estavayer au commencement du XVIe siècle. » [1]

Ainsi donc, pour établir que ces farces dataient d'entre 1515 et 1525, je me basais d'abord sur un argument général : le type de l'écriture ; et ensuite sur le fait que j'aurais retrouvé, avec ces farces, des fragments d'un *Mystère de la Passion* que je présumais être celui joué à Estavayer-le-Lac en 1518 [2] : et c'était ce dernier fait — qui n'était après tout qu'une pure supposition — qui me poussa à donner comme titre à mes deux articles *Quelques textes du XVIe siècle en patois fribourgeois.*

Très tôt, cependant, j'eus des doutes et je me repentis d'avoir été aussi précis et peut-être aussi chauvin. En signalant la publication de la première farce dans l'*Archivum romanicum,* Gauchat, que j'avais mis au courant de mes hésitations, écrivait déjà à la fin de l'année 1921 que « M. Aebischer a commencé... la publication, avec commentaire, des textes patois du XVIe siècle découverts par lui aux Archives de Fribourg..., qu'il localise maintenant plutôt à Vevey » [3]. C'est que j'avais remarqué, à défaut de raisons phonétiques — aucun autre texte ne permettant d'établir une comparaison entre ce qu'était le patois d'Estavayer et ce qu'était le patois de Vevey de 1500, — que ces fragments faisaient fréquemment mention de noms de lieu des bords du Léman: nous avons ainsi Vevey et Cully (*Tot jor dehet,* III, vers 19 [4]), Vevey (*Marchand de volaille,* I, vers 19 [5]), Lausanne (*ib.,* I, vers 52 [6]), sans compter le Pays de Vaud (*Fontaine de*

[1] *Quelques textes du XVIe siècle en patois fribourgeois.* Première partie, in *Archivum romanicum,* vol. IV (1924), p. 344.

[2] Cf. Grangier, *Annales d'Estavayer,* Estavayer 1905, p. 312. J'aurais pu ajouter, pour augmenter l'efficacité de cet argument, que l'écriture de quinze sur seize des fragments patois est exactement semblable à celle de ce mystère de la Passion : je l'ai dit d'ailleurs dans mon article *Fragments de moralités...,* p. 521.

[3] *Glossaire des patois de la Suisse romande,* vingt-troisième rapport annuel de la Rédaction, 1921, Neuchâtel, 1922, p. 4.

[4] *Quelques textes...,* Première partie, p. 353 ; cf. en particulier la note 6.

[5] *Quelques textes...,* Deuxième partie, p. 318.

[6] *Quelques textes...,* Deuxième partie, p. 321.

Jouvence, I, vers 16 [1]), le Jorat peut-être (*Valet qui vole son maître*, II, vers 28 [2]), et Sion (*Marchand de volaille*, IV, vers 19 [3]) alors qu'aucune localité fribourgeoise, voisine ou non d'Estavayer, n'était nommée. Et cela m'amenait à penser que l'auteur de ces farces, et aussi ses auditeurs, devaient être des environs de Vevey : nulle autre raison, en effet, ne pouvait expliquer la présence de ces toponymes dans ces pièces comiques. Bien plus, en corrigeant les dernières épreuves des fragments du *Valet qui vole son maître*, j'ajoutai sur les bonnes feuilles — d'où le résultat que cette note est pleine de fautes d'impression qui n'ont jamais pu être corrigées —, pour expliquer le vers 39 du troisième fragment

Yot preot a nocza donna l a le[az [4]

la petite trouvaille suivante, que je venais de faire : « Il s'agit sans doute de la chapelle nommée, dans les chartes latines, *capella Dominae nostrae la leaz* à Vevey, dans la rue de Blonay-dessus... Ce serait un indice à ajouter à ceux... tendant à faire croire à une origine plus méridionale de nos pièces de théâtre. » Il est évident, en effet, que la mention de la Sainte Vierge avec un titre si particulier n'avait pu être trouvée, et ne pouvait être comprise que dans l'endroit même où existait cette chapelle, ou dans ses environs immédiats.

De sorte que, par la suite, chaque fois que j'en eus l'occasion, j'ai attribué à Vevey le patois de ces farces [5]. Que ce soit là sa véritable origine, c'est ce que je vais démontrer sans qu'il puisse rester l'ombre d'un doute : et cette démonstration permettra en même temps, puisqu'il ne saurait désormais y avoir aucun rapport entre les fragments du *Mystère de la Passion* que j'ai trouvé en même temps que les farces, et la *Passion* jouée à Estavayer en 1518, d'établir à peu près l'époque à laquelle furent jouées — et probablement écrites — ces farces : sur ce point, d'ailleurs, mes conclusions seront bien peu différentes de ce qu'elles étaient dix ans auparavant.

Dans mes deux articles de l'*Archivum romanicum*, j'avais publié tous les textes patois, sauf un certain nombre de vers, difficilement lisibles parce qu'écrits à la hâte, couverts de ratures et d'adjonctions, qui occupaient le verso des trois fragments qui nous restent de la première farce publiée, soit celle de *Tot jor dehet*. Qu'ils n'aient eu

---

[1] *Quelques textes...*, Deuxième partie, p. 292 ; cf. la note 5, à la même page.
[2] *Quelques textes...*, Deuxième partie, p. 310 ; mais cf. la note 2.
[3] *Quelques textes...*, Deuxième partie, p. 327.
[4] *Quelques textes...*, Deuxième partie, p. 312 ; cf. la note 4.
[5] Cf. *Trois farces françaises inédites...*, p. 129 ; *Fragments de moralités...*, p. 511 ; *Trois farces du XVe siècle*, p. 10.

aucune importance au point de vue littéraire, c'est ce qu'une lecture
même incomplète suffisait à prouver. Mais, comme j'avais remarqué
qu'ils contenaient de nombreux noms de personne et de famille,
l'idée me vint que ces noms avaient pu n'être point inventés, et qu'il
s'agissait là peut-être des acteurs de ces farces — en quoi je me trom-
pais — : je tentai par conséquent de déchiffrer ces gribouillages. Le
résultat de cet effort — quelques mots restent malheureusement
obscurs, — le voici [1] :

Littérature, nᵒ I, fragmt. I verso

> France Carcanyola, Nyco Gachot,
> Jo. Seneve, Jo. Janyn, Ro. Maczon,
> Johan Joffre [2], Jo. Pallet,
> *Segno*r Vuille Prou, *segno*r Miche Prou,
> 5 Loy d'Oron, Loy Jord*an*, Guill*aume* de Villa
> Mecze G. Pintre, France Godet,
> Loy Jordan, Ame de la Rochit,
> Jo. France, *segno*r Pernet Torne,
> Bertho P   cat [3], meczre Jaquet

Littérature, nᵒ I, fragmt. 2 verso

> 10 Que la fevraz [4] vot recorbe [5] !
> Aprochit te, Jaque Barbe :

---

[1] L'écriture de ces fragments étant moins soignée encore que celle des farces
publiées naguère, j'ai cru bien faire, pour rendre le texte plus aisément compréhensible, d'employer les majuscules suivant l'usage moderne, de même que la
ponctuation. J'ai de même coupé les mots qui forment dans le manuscrit un seul
groupe graphique (par exemple, au fragment 3, vers 48, j'ai écrit le *medix* de
l'original *m'edix,* puisque cela signifie « m'aider »), et j'ai remplacé les *j* finaux
par de simples *i* ainsi que les *-u-* à l'intérieur des mots par *-v-,* lorsqu'ils avaient
ce son.

[2] Ce mot est suivi de *johan d'erlin,* mots cancellés immédiatement après qu'ils
furent écrits.

[3] Le fragment étant coupé, la lecture de ce nom de famille est douteuse. On
pourrait lire *punacat.* Un Ludovicus Pignacchaz vivait à Vevey vers 1525 (ACV,
Rec. cathédrale Lausanne, f. XLIIII).

[4] Les abréviations usitées dans les notes qui suivent sont : Bridel = Bridel,
Glossaire du patois de la Suisse romande, Mémoires et Documents p. p. la Société
d'histoire de la Suisse romande, Lausanne 1866 ; Cerlogne = Cerlogne, *Dictionnaire du patois valdôtain,* Aoste, 1907 ; Const.-Dés. = Constantin et Désormaux,
Dictionnaire savoyard, Paris et Annecy, 1902 ; Odin = Odin, *Glossaire du patois
de Blonay,* Lausanne, 1910. — *Fevraz* signifie évidemment « fièvre ».

[5] « Vous courbe ». C'est un présent du subj. à finale accentuée dont j'ai
signalé déjà la présence dans ces textes ; cf. O. Keller, *La flexion du verbe dans
le patois genevois,* in Biblioteca dell'« *Archivum romanicum* », série II, vol. 14,
Genève 1928, p. 128 sqq.

Quan t'a se [1], vollu*n*tix tot be [2]
Vin de gra*n* [3], Jaquemyn Magnyn :
Q*ue* sint tet not [4] ne fasin nyn [5] !
15   Pierot Bebo, not fauldreczot [6] ?
Johan Girard, clix De [7] ! au vix czot [8] ?
Au ! Johan Merloz, tot t'ix cachix
Yot vot preut q*ue* vulli depachix
M'edix a chavona [9] mon tachot [10] !
20   Vini vot s a*n*, Nyco Gachot [11] !
Fra*n*cze Carcanyola, not fauldre vot [12] ?
Jo. Janyn, au ! vincze vot [13] ?
Au ! Au ! *segnors* Jo. Seneve [14],
Yot vot preot, vini not ve [15] !
25   Seg*no*r Vulliemin Prou *et* Ro. Maczon,
Vini vot s a*n* ti a taczon [16] !

---

[1] « Quand tu as soif » ; la forme actuelle de Blonay est *sāi,* sf.

[2] « Tu bois ». — Tout ce vers a été cancellé par un trait de la même encre que le reste du texte.

[3] Odin, p. 230, donne encore pour Blonay la locution adverbiale *dé grã,* « rapidement ».

[4] Que a le sens de « parce que, car » ; cf. *Tot jor dehet,* II, 5. — Le mot *tet* est suivi de *nyn,* cancellé immédiatement.

[5] Négation aujourd'hui disparue : on la trouve par exemple dans *Tot jor dehet,* II, 39 : san ne refuse yot nyn, « je ne refuse pas cela ».

[6] *Fauldre* est la 2e p. sing. du futur, suivie du pronom agglutiné : « nous manqueras-tu ? »

[7] Je traduirais par : « Ciel Dieu ! » Cependant, « ciel » est écrit toujours *czix* dans nos textes : cf. par exemple *Valet qui vole son maître,* II, 21.

[8] « Où vis-tu ? ».

[9] Cf. Odin, p. 595, *tsavunâ,* v. a. (vieilli) « terminer, achever ».

[10] Odin, p. 559, signale ce mot, courant en Suisse romande, avec le sens de « travail à la tâche, à forfait ».

[11] Mot-à-mot : « venez-vous en... ». — Ce vers a été écrit après coup, dans l'intervalle qui séparait les vers 19 et 21 actuels ; mais cette adjonction dut être faite peu après que les autres vers eurent été copiés.

[12] L'auteur avait écrit d'abord : *francze carcanyola nyco gachot* : ces deux derniers mots ont été cancellés et surmontés de : *not fauldre uot,* « nous manquerez-vous ? ».

[13] Le sens doit être : « venez-vous ? » — Le vers primitif était : *jo. janyn. segnors jo. seneue,* les trois derniers mots ayant été cancellés lors de la correction des vers précédents.

[14] Ce vers a été écrit après coup.

[15] « Je vous prie, venez nous voir ! » Au lieu de cette forme *preot,* on a *preut* au vers 18.

[16] « A tâtons ». La forme *ataθo* est encore donnée pour Blonay par Odin, p. 23, comme locution adverbiale.

Par De, yot ne fari pa prou [1]
Se yot n'e mix *segnors* Miche Prou !
Loy d'Oron, vindriczoz pa [2] ?
30 Par De wuat [3] ! tot sari taxa,
Se tot ne vin in la bay [4] !
Faczit bin bex de l'ebay [5] !
Te veot bin in suli [6] carot [7] !
Guilliaume de Villa, yot vo barot [8] !
35 *Que* vot me   [9] sex ded*ent*,
Ame [10] de la Rochit *et* Loy Jordan !
Au ! seut [11] Jo. *et* Ja. Fran*cze*,
Se fault qu'on becze [12] facze,
Il n'are ja p[r]o a ducat.

Littérature, n⁰ I, fragmt. 3, verso

40 Amena mons*egnors* d'Arufin.
Par De, not farin taula fin [13]

---

[1] Cf. Odin, p. 432, *prâü,* adv., « bien, beaucoup, assez ». Le sens doit être :
« je ne ferai pas assez, je ne serai pas content si je n'ai... ».

[2] *Vindriczoz* est la 2ᵉ p. s. du futur : « viendras-tu ? » A Gruyères, on dit
aujourd'hui encore, à cette personne, *vēdriə̀.* Les deux derniers mots sont écrits
au-dessus de la ligne, et remplacent *tot te cache,* cancellé.

[3] Juron qui n'a pas de correspondant aujourd'hui. Cf. *Marchand de volaille,*
IV, 21 : le *san de wat, yot vot batrj.* Entre cette ligne et la précédente, le scribe
avait écrit *au vuat,* qui a été cancellé.

[4] « Si tu ne viens à l'*abbaye* ». *Abayi,* s. f. signifie encore à Blonay, « fête
annuelle des sociétés de tir ». Sur la valeur de cette indication, cf. la fin du présent article.

[5] « Fait-il bien beau de l'ébahi ! » dit l'acteur en désignant un spectateur, et
en s'adressant au reste du public. Cet adjectif, conservé à Blonay sous les formes
ébayi (Odin, p. 135) et *bayi* (Odin, p. 39), se retrouve dans le *Valet qui vole
son maître,* III, 28.

[6] Ce pronom démonstratif existe encore en Savoie : *sli (çli),* d'après Const.-
Dés., p. 374. Cf. le *Marchand de volaille,* III, 42.

[7] Cf. Odin, p. 260 : *kâro,* s. m. « angle, coin ». Le sens du vers est : « Je te
vois bien dans ce coin ! ».

[8] Odin, p. 41, donne le verbe *bârâ* avec le sens de « faire saisir, séquestrer »,
qui convient ici.

[9] Ce mot est illisible : il semble commencer par *m* suivi de *a* ou de *e* ; la
finale doit être *-in* ou *-j.*

[10] L'auteur a écrit d'abord : *france,* qu'il a cancellé.

[11] Ces deux mots sont écrits au-dessus de la ligne, et remplacent *jo. janyn,*
cancellés. *Seut* doit signifier « sieur ».

[12] Je pense que ce mot signifie « bêtes » ; la phrase, incomplète, serait en ce
cas : « S'il faut qu'on fasse les bêtes... ».

[13] « Par Dieu, nous ferons une telle fin... ».

Que not sarin treczot trubla [1] !
Berna ! torna pris [2], t'avex oubla !
Li et, porot homoz, bin deper [3].
45   Meczre Jaque et meczre Phillibert
Jamex [4] me fucze acany [5]
De se gradix [6] la compagny.
Vini m'edix a lot dependre [7],
Meczre G. Pantre [8] !
50   Yot vot preot, vini innant [9] !
Aprochit te, Pierrot Bornant :
Jamex ne vi mellior vallet [10] !
Yot te requirot que tot t'in vin [11]
Et que t'amena segnors Charvin :
55   Et tot sarix trabon vallet [12] !
N [13] 'oubla pa [14] Pierrot de Mellet,
Segnor Caczro et Nyco Ormon !
Not truferin [15] per se lot mon [16],

---

[1] « Que nous serons complètement troublés », Cerlogne, p. 291, donne le verbe *trobla* avec le sens de « ne pas voir clair ».

[2] « Bernard, reviens (mot-à-mot : « tourne près »), je t'avais oublié ! » La forme actuelle de *pris*, à Blonay, est *préi*, adv. et prépos., « près ».

[3] Je traduirais : « Il est, [le] pauvre homme, bien... » Ce dernier mot est pour moi obscur: Cerlogne, p. 130, donne un adjectif *deper* « impair »; ce mot aurait-il pu avoir le sens de « mal à son aise, mal en point », qui pourrait convenir ici ?

[4] Ce mot est surmonté d'un *me* cancellé suivi de l'initiale, commencée seulement, d'un autre mot.

[5] La lecture de ce mot est douteuse, et le sens de tout le vers reste obscur.

[6] Je ne sais ce que peut signifier cette expression.

[7] « Venez m'aider à le dépenser » ou « à le dépendre ».

[8] Ce vers, ainsi que le précédent, a été ajouté plus tard. Le *G* doit représenter un *G[laudo]*, sans doute : le vers n'avait que sept syllabes.

[9] « Venez en avant » Odin, p. 173, donne *ēnā*, adv., « en avant » pour Blonay.

[10] Ce vers est cancellé dans le manuscrit.

[11] « Je te requiers que tu t'en viennes ». D'après Cerlogne, p. 258, *requeri* est encore usité dans la vallée d'Aoste, pour « requérir, désirer ».

[12] « Et tu seras un très bon garçon. »

[13] Le manuscrit a, au commencement de ce vers, le mot *not*, cancellé : le scribe avait par erreur commencé à transcrire ici le vers 58.

[14] « N'oubliez pas ».

[15] Bridel, p. 383, donne le verbe *truffa* « tromper, truffer » comme vieilli. On le retrouve ailleurs dans nos textes : la *Fontaine de Jouvence*, IV, 21, a : *ma il s e byn troffa de met,* « mais il s'est bien moqué de moi ». Cf. *Marchand de volaille*, III, 12.

[16] Je ne comprends pas la fin de ce vers.

Quan not saudrin [1] per le vilago.
60 Ma revuarda se siot [2] bin sagot [3] :
Y ex oubla l'ong de bon presonago [4] !
Pre   [5] lot fault, per lot san bau [6] !
O ! *segnors* chaczellan de Sin Gingau [7] !
Par De, yot pensot q*ue* vin lex ;
65 Lot vede vot dille [8] lou lex,
Q*ue* s'aperellie [9] por vini ?
Sally ve fur vuyvex dou ny [10].
Intre Mellerea *et* Menex [11]
Et lix *segnors* Loy de Tavex
70 Q*ue* s'aparellont por vini.
Tot lot monde sallie dou ny !
Q*ue* on ch*a*cu*n*g se aproche [12] !
Yot vot preot, qu'o*n* depache !
Se m'edere a lot depe*n*dre [13].
75 Nuwe ! not ne s[in] plit dehet
ne fa   eczrangier
Noc]zroz no*n* ung not s a ch[angie [14].

---

[1] Première pers. plur. du fut. de l'indicatif. A Gruyères, on dit: *chudrẽ,* « nous sortirons ».

[2] « Si je suis ». Keller, op. cit., ne parle pas de cette forme, constante dans nos textes, en traitant du prés. de l'indicatif de *être.*

[3] « Bien sage ».

[4] Le vers était primitivement : *yex oubla per lot sant bau,* et les quatre derniers mots ont été cancellés.

[5] La fin de ce mot est illisible.

[6] Juron équivalant à « palsambleu ».

[7] Soit « Saint-Gingolph », localité située en face de Vevey, de l'autre côté du lac, sur la frontière franco-suisse.

[8] Odin, p. 17, donnant le mot *delé* « delà », cite l'exemple : *delé dou lé,* « par delà le lac ».

[9] « Qui se prépare ». Le mot n'est plus connu dans ce sens en franco-provençal. Cf. *Valet qui vole son maître,* I, 12 : *meczre aparillie.*

[10] « Sortez donc hors... du nid ». *Ve* représente l'actuel *vāi* de Blonay, adverbe qui suit obligatoirement tout impératif non suivi de *pi.* Quant au mot *vuyvex,* je ne le connais pas.

[11] « Entre Meillerie et... ». Meillerie est une localité savoyarde voisine d'Evian. Je ne sais ce que peut être le *Menex* de notre texte. Les vers 66 et 67 sont cancellés dans le manuscrit.

[12] C'est de nouveau. comme le *depache* du vers suivant, un substantif présent à finale accentuée.

[13] « Ainsi vous m'aiderez... ».

[14] Le vers 75 est identique au vers III, 16 de *Tot jor dehet,* et le vers 77 au vers III, 18 de la même farce.

Ces trois fragments — et c'est ce qui nous intéresse avant tout — représentent donc le brouillon, ou mieux les brouillons — puisque le fragment 1 n'est qu'une modification des vers 21-29 du deuxième fragment ; dans chacun de ces feuillets, les ratures, les adjonctions, les suppressions et les modifications de tout genre sont, on l'a vu, fort nombreuses — d'une sorte de prologue, écrit sans nul doute par l'auteur (qui n'a été vraisemblablement, quelquefois au moins, qu'un traducteur) des farces que j'ai publiées jadis. Pour une des représentations où furent jouées une ou plusieurs de ces farces, il avait cru bon de composer un monologue que très probablement il débitait lui-même, juché sur le tréteau servant de scène ; un monologue où il s'efforçait d'être spirituel, en invitant à grands cris, et avec force mimique sans doute, le public à s'approcher de son théâtre et surtout à y entrer. Ces badauds qui étaient devant lui, et qu'il voulait attirer, il les connaissait bien : c'étaient des bonnes gens de l'endroit ou des environs, de la petite noblesse du pays, des marchands, des artisans. Et ces bonnes gens — ce sont, chose bizarre, tous des hommes ; comme si les femmes n'avaient pas pu avoir accès à son théâtre : peut-être, il est vrai, y entraient-elles d'elles-mêmes, sans qu'on ait eu besoin de les y engager, — il les interpelle par leurs noms, ajoutant quelquefois leur titre, lardant ce qui aurait pu être une liste très monotone, encaquée tant bien que mal dans des octosyllabes, par des réflexions qui voulaient être de l'esprit.

De sorte que nous avons une série de trente-trois noms de personne : j'y ajoute un trente-quatrième, celui de « segnor Bertollomé Chalon », qui nous est fourni par le vers 54 du second fragment de la farce du *Marchand de volaille* [1]. Persuadé que j'étais, avant déjà d'avoir établi la liste en question, que ces farces avaient été jouées à Vevey, je n'ai pas eu longtemps à chercher afin de recueillir des renseignements sur ces différents personnages : je donne ici, avec le

---

[1] On pourrait même en ajouter un trente-cinquième : au commencement de la farce de *Tot jor dehet,* en effet, le personnage qui porte ce nom déclare (fragment I, vers 5-6) que

Quan jot ne sex plit au alla,
Yot vex trova Johan au Michault,

passage que j'ai traduit, à tort (*Quelques textes...,* Première partie, p. 359) par « lorsque je ne sais plus où aller, je vais trouver Jehan Michault » alors que ce doit être... « je vais trouver Jehan ou Michault ». Or, un nom de famille *Michault* existait à Vevey à cette époque : à partir de 1533, on trouve même un « Johannes Michaud, burgensis Viviaci » (ACV, Rec. cathédrale Lausanne 1525 fo LXVvo), qui vécut au moins jusqu'en 1551 (ACV, Rec. St. Martin 1551, fo XLI).

PAUL AEBISCHER

nom de ces trente-quatre individus, les indications que j'ai pu retrouver, tant aux Archives cantonales vaudoises, aux Archives de l'Etat
de Fribourg qu'aux Archives de la ville de Vevey, ainsi que dans
quelques ouvrages imprimés [1].

1. ARUFIN, monsegnor d'. — Il s'agit certainement de noble Jean
Mestral, connu d'habitude sous le nom précisément de « monsieur
d'Aruffens », du nom d'une des seigneuries (près de Romont, canton
de Fribourg) qu'il possédait. D'après le *Répertoire des familles vaudoises qualifiées de l'an 1000 à l'an 1800,* Lausanne 1883, p. 145, on
le trouve mentionné dans des actes à partir de 1527 et jusqu'en 1555.

2. BARBE, Jaque. — Ce Jaquet Barbey est peut-être le même
qu'un « Jaques filz de feu Martin Barbey de la Tour de Peylz » —
localité attenante à Vevey — qui fait une reconnaissance le 21 novembre 1553 (ACV, Rec. St. Martin 1551, fo IIc CXVIIIvo). Je
ne le retrouve pas dans des documents antérieurs.

3. BEBO, Pierot. — Ce nom ne se rencontre dans aucun des textes
que j'ai pu consulter. Une famille de ce nom existait toutefois dans
la région de Lavaux, soit entre Lausanne et Vevey, au XVIe siècle.
D'après un acte de 1541 (ACV, Registre notarial Jaques Bergier
1540-1548, fo 36) les héritiers d'un Pierre Beboz possédaient une
vigne à Cully: il vivait en 1515, d'après un autre acte notarial (ACV,
Notaire Sordet, actes détachés, 48) et était vigneron de son métier.

4. BORNANT, Pierrot. — « Petrus Bornant » est mentionné ACV.
Pap. Luxembourg, qui datent, nous le verrons, des environs de 1540.

---

[1] Voici les abréviations usitées plus loin. — A. Imprimés. Martignier = D.
Martignier, *Vevey et ses environs dans le moyen âge,* Lausanne 1862. — Montet
= A. de Montet, *Extraits de documents relatifs à l'histoire de Vevey,* Turin 1884.
— B. Manuscrits. a/ ACV. - Archives cantonales vaudoises. Débit. Chillon - Débi-
teurs du bailliage de Chillon (cote : Fee 18), ms. sans date, des environs de 1500.
— Rec. St. Martin 1511 = Reconnaissance pour le clergé de St. Martin (cote :
Fee 14 a), 1511. — Rec. cath. Lausanne = Reconnaissance pour le chapitre de
l'église cathédrale de Lausanne (cote : Fee 3 a), 1525. — Rentier St. Martin =
Rentier de l'église St. Martin (cote : Fee 14 a), 1527. — Rec. St. Martin 1551 =
Reconnaissance pour le clergé de St. Martin (cote : Fee 14 c), 1551. — Pap.
Luxembourg = Papier de la recepte... Luxembourg (cote : Fee 4), sans date : des
alentours de 1540 — b/ AEF = Archives de l'Etat de Fribourg. Terrier Chsd.
no 50 = Terrier du bailliage de Châtel-St.-Denis (cote : Terriers, Châtel no 50),
1537. — c/ AV = Archives de la ville de Vevey. Les documents consultés à Vevey,
qui m'ont fourni des renseignements et qui sont cités ici sont deux terriers dont la
cote est GA 23 (terrier datant de 1520) et GA 89 (terrier datant de 1537-1538).

Mais il était déjà mort en 1537, ainsi qu'en témoigne une reconnaissance de sa fille, « Johannete filie quondam Petri Bornand uxoris Stephani Caddey sutoris de Viviaco », en date du 27 décembre 1537 (AV, GA 89, fo VIIxx I).

5. CACZRO, segnor. — Le prénom n'étant pas indiqué, il n'est pas possible de savoir exactement de quel membre de la famille il s'agit ici. Les Pap. Luxembourg donnent le nom, pour 1540 environ, de « noble Gabriel Castiod » habitant à la Tour de Peilz. Ce « Gabriel Cassiodi » est cité déjà dans le Rec. St. Martin 1511, fo CVI : mais cet acte a été transcrit plus tard que l'ensemble du volume, puisqu'il est daté du dimanche après la Purification de 1524; il mentionne « Gabriel Cassiodi de Turris de Peil domicellus... venerabilis Franciscus Cassiodi cappellanus quondam frater meus ». Suivant toute probabilité, notre « segnor Caczrod » doit être noble Gabriel Castiod, puisque seul celui-ci est cité dans des actes de l'époque comme vivant alors.

6. CARCANYOLA, France. — Ce personnage est cité dans les Pap. Luxembourg, non datés : nous savons par contre qu'en 1511, il est appelé « Franciscus filius quondam Anthoni Castiniolaz » (ACV, Rec. St. Martin 1511, fo XXV). Et en 1525 un texte mentionne « Francisci Castigniolas dicti Carcagniolaz, burgensis Viviaci » (ACV, Rec. cath. Lausanne, fo LXX) et un autre « Francisci Caragniolaz [sic], mercatoris et burgensis Viviaci » (ACV, Id., fo XXXIIIIvo). Il vivait encore au 17 janvier 1538 (AV, GA 89, fo XIIIIxx I).

7. CHALON, segnor Bertollomé. — Le nom de ce personnage, qui nous est donné par la farce du Marchand de volaille, II, 54, et non par un des fragments publiés plus haut, est celui de Bartholomé Chalon, donzel de Cully. Il vivait encore le 22 avril 1518 (ACV, Registres du notaire Sordet, Actes détachés, 83), mais n'est pas mentionné dans un acte du 6 juin de la même année: ce jour-là, en effet, Françoise Chalon, sa fille, veuve de Jean Alno de Romainmôtier, épouse Claude De Crevel, de Combremont-le-Grand et, par contrat de mariage, ses frères Pierre et Rod promettent de remettre au dit De Crevel la dot de leur sœur que tous deux, ou l'un deux, ou leur père, étaient tenus de verser au dit feu Jean Alno. Le fait que ce sont les deux frères qui promettent de payer la dot, et non pas le père, laisserait croire, sinon qu'alors Bartholomé Chalon était mort, du moins qu'il était absent ou, plus vraisemblablement, malade.

8. CHARVIN, segnor. — Il s'agit évidemment de « noble Loys Charvin, filz de feu noble Jehan Charvin », mentionné dans les Pap. Luxembourg. On le trouve également cité dans le Rentier St. Martin de 1527.

9. ERLIN, Johan d'. — Noble Jehan de Yllens a son nom dans les Pap. Luxembourg, et une reconnaissance du 28 novembre 1537 l'appelle « nobilis Johannis de Illens, burgensis Viviaci » (AV, GA 89, fo LXXXXVII). Je ne sais si ce fut lui qui, le 23 novembre 1544, fut reçu bourgeois de Lausanne, et qui vendit ses droits sur les seigneuries de La Molière et de Ménières le 14 février 1557 (Martignier, p. 82).

10. FRANCE, Jo[han] et Ja[que]. — Je n'ai retrouvé personne qui ait porté l'un de ces noms à Vevey à cette époque.

11. GACHO, Nyco. — Il est appelé « Nycodum Gannyerez alias Gaschez » dans un acte de 1512 (ACV. Rec. St. Martin 1511, fo XXXV) mais il était mort au 21 février 1526, puisque dans une reconnaissance de ce jour sa fille est appelée « Loysia filia quondam Nycodi Gaschoz » (ACV, Rec. cath. Lausanne, fo XIII). Les Pap. Luxembourg mentionnent d'autre part sa veuve, « Jehannette relaissee de feu Nycod Gagnyeres aultrement Gaschod, femme de Jehan Cloyez ». (ACV, Pap. Luxembourg).

12. GIRARD, Johan. — Ce nom m'est totalement inconnu.

13. GODET, France. — La Rec. St. Martin 1511, fo LXVII, reproduit un acte de 1506 intitulé « Venditio census ad opus venerabilis viri domini Perroneti Pauli contra Franciscum Gudet ». Ce même personnage est appelé « Franciscus filius quondam Ansermi Gudet, burgensis Viviaci » en janvier 1525 (ACV, Rec. chap. Lausanne, fo LX) ; il vivait encore en 1551 (ACV, Rec. St. Martin 1551, fo XXXV).

14. JANYN, Jo[han]. — Une reconnaissance, sans doute de 1537, parle des « egregiorum virorum Johannis Janyn de Corsye et Girardi Chappalley de Jognye parrocchie loci de Corsye » (AEF, Terrier Chsd. no 50, fo XXXIXvo). Il mourut avant 1551, puisque alors une reconnaissance de « François et Michel filz de feu Jean Janin le jeusne alias de la Fontannaz, bourgeois de Vivey » est faite par « Mathée leur mere » (ACV, Rec. St. Martin 1551, fo XXVIII).

On ne peut exclure d'ailleurs que ces deux actes ne se rapportent à deux personnages homonymes, l'un ayant habité Corsier, et l'autre Vevey.

15. JOFFRE, Johan. — Les Pap. Luxembourg mentionnent « nobles Jehan et Jacques Joffrey, freres ». Le contrat de mariage de Jehan Joffrey est du 25 janvier 1529 (Martignier, p. 83) mais il paraît avoir eu déjà un certain âge à cette époque. Il mourut avant le mois de juin 1537 (AEF, Terrier Chsd. no 50, fo XIX).

16. JORDAN, Loy. — Je n'ai retrouvé ce nom nulle part dans les actes veveysans de l'époque : cependant, la Rec. St. Martin 1511, fo IXxx XVIII, cite un « Stephanus Jordan », ce qui montre au moins que ce nom de famille existait dans la région. Peut-être Loy Jordan habitait-il en dehors de Vevey.

17. MACZON, Ro[d]. — Une reconnaissance du 21 décembre 1537 parle de « nobilis Francisci filii quondam nobilis Rodulphi Maczon alias Consiliat, burgensis Viviaci » (AV, GA 83, fo XIxx XII). Il est également donné comme mort par les Pap. Luxembourg. Il était châtelain de Rue en 1524 (ACV, Collection de la Société d'héraldique, vol. Hugonin, no 74, p. 146).

18. MAGNYN, Jaquemyn. — Je n'ai pu retrouver ce personnage dans les actes veveysans. La Rec. St. Martin 1511, fo XLV, mentionne toutefois un « Petrus Magnyn ».

19. MELLET, Pierrot de. — Noble Pierre de Mellet est cité en 1520 déjà (Martignier, p. 93). Son nom figure aussi dans le Rentier St. Martin 1527. En 1520, il était syndic de la Tour-de-Peilz (ACV, Collection de la Société d'héraldique, vol. Hugonin, no 74, p. 426).

20. MERLOZ, Johan. — Ce nom ne figure dans aucun des documents veveysans que j'ai pu consulter.

21. ORMON, Nyco. — Les Pap. Luxembourg signalent « Nycod Ormond » comme habitant à la Tour-de-Peilz, ce qui est confirmé par la mention de « Nycodus Ormond, burgensis Turris » du Rentier St. Martin 1527. Il mourut avant 1551, comme en témoigne la reconnaissance de « Pernet filz de feu Nico Ormond, bourgeois de la Tour de Peylz » (ACV, Rec. St. Martin 1551, fo CLXXVIvo).

22. ORON, Loy d'. — Il s'agit certainement du « Loys Uldry aultrement d'Horon » des Pap. Luxembourg, appelé « Ludovicus

Hudri alias d'Oron, burgensis et mercator Viviaci » par la Rec. St.
Martin 1511, f⁰ XV — mais l'acte est de 1529. — Il vivait encore
en 1538 (AV, GA 89, f⁰ IIIᶜ XXXIII), mais mourut avant 1551
(ACV, Rec. St. Martin 1551, f⁰ CLI).

23. PALLET, Jo[han]. — Il était mort avant 1538, puisque une
reconnaissance du 18 janvier de cette année-là fait mention de
« Francesie, Margarete et Perronete filiarum quondam Johannis
Garnyment alias Palet, burgensis Viviaci » (AV, GA 89, f⁰ XIIIIˣˣ
III). Son décès est également antérieur à la compilation des Pap.
Luxembourg, qui ont ces mêmes noms de « Francoyse, Marguerite
et Pernon, filles de feu Jehan Garnyment aultrement Pallet ».

24. PROU, segnor Vulliemin, segnor Michel. — Un terrier contient une reconnaissance du 15 octobre 1517 des « nobilium Vul-
liermi et Michaelis Probi, fratrum, de Viviaco » (AV, GA 23, Grosse
Anselme Cucuat, f⁰ LVIᵛᵒ). Ils vivent encore au 24 septembre 1527
(ACV, Rec. cath. Lausanne 1525, f⁰ XXIIᵛᵒ), mais ils sont don-
nés comme mort, et par les Pap. Luxembourg, et par une reconnaissance du 16 novembre 1537 faite par leurs fils respectifs (AV, GA 89,
f⁰ LXXI). Cf. également Martignier, p. 102, qui les signale entre
1516 et 1525. D'après de Montet, p. 257, Michel Preux a été banneret de Vevey en 1535-1536. Il s'ensuivrait qu'il serait mort entre
1536 et le mois de novembre 1537. Sur ces deux personnages, voir
maintenant O. Dessemontet, *Généalogie de la famille de Preux.
Période vaudoise 1313-1639*, in *Vallesia*, XXVI (1971), pp. 78-81.

25. ROCHIT, Ame de la. — Les Pap. Luxembourg donnent le
nom de « Amey de la Rosche ». Il vivait encore, mais devait être ou
très vieux ou malade en 1551, puisque sa reconnaissance, insérée
dans la Rec. St. Martin 1551, f⁰s LXXVIIᵛᵒ et IIᶜ XXVII, a été
faite par « Jaques son filz ».

26. SENEVE, segnor Jo[han]. — Un « noble Jehan Seneveys »
est mentionné dans les Pap. Luxembourg; on trouve aussi un « nobilis Johannis Senevey filii quondam nobilis Johannis Senevey burgensis Viviaci » à la date du 28 février 1538 (AV, GA 89, f⁰ IIIᶜ
XV). Père et fils avaient ainsi le même prénom : il est impossible
de savoir s'il est question de celui-ci plutôt que de celui-là dans notre
fragment. Cf. de Montet, p. 240, où l'on trouve un Jean Senevey
mentionné dans un acte du 23 mai 1536.

27. TAVEX, segnor Loy de. — De « nobilis Ludovici de Thavel »
et de sa femme « nobilis Jane relicte quondam nobilis Francisci

Collombi de Castello sancti Dyonisii », il est question dans une reconnaissance du 25 février 1525 (ACV, Rec. cath. Lausanne 1525, fo XLVIII^{vo}). Il vivait encore au 7 décembre 1537 (AV, GA 89, f^{os} V^{xx} et V^c XXXIII). Cf. de Montet, p. 240, et Martignier, p. 106.

28. TORNE, segnor Pernet. — D'après Martignier, p. 111, cette famille existait à Vevey dès le commencement du XIVe siècle. Je n'en connais cependant pas de membre ayant porté le prénom de Pernet dans les premières années du XVIe siècle.

29. VILLA, Guillaume de. — Guilaume de Villa est mentionné pour la première fois dans un acte de 1507 (ACV, Rec. St. Martin 1511, fo VI^{xx} XIX) et il a été commandeur de Vevey de 1521 à 1523 (Montet, p. 256). Il vivait encore au 8 juin 1537 (AEF, Terrier Chsd. no 50, fo XII^{vo}), et quelques mois plus tard, le 19 novembre 1537, il est qualifié d'« egregi viri Guilliermi de Villa, notarii, filii quondam honnesti viri Francisci de Villa, burgensis Viviaci » (AV, GA 89, fo XIX).

30. JAQUET, meczre. — Il n'est pas possible de savoir qui était ce « maître Jaquet », le prénom en question étant trop fréquent à Vevey à cette époque.

31. PHILLIBERT, meczre. — Il doit s'agir à n'en pas douter du personnage appelé par les Pap. Luxembourg « maistre Humbert Favre appellé Phillibert », et « magistri Humberti Fabri appellati Phillibert, burgensis Viviaci, lathomi », par un acte du 7 décembre 1537 (AV, GA 89, f^{os} CXVIII et III^c LXXXIII).

32. PINTRE, mecze G. — C'est vraisemblablement le « Claude de Bolaz, pintre » des Pap. Luxembourg, dénommé « magistri Claudii filii quondam magistri Johannis de Bolaz pictoris et burgensis Viviaci » dans une reconnaissance du 16 septembre 1533 (ACV, Rec. cath. Lausanne) et « honnesti viri Glaudii de Bola pictoris Viviaci burgensisque » le 20 novembre 1537 (AV, GA 89, fo XII).

Il résulte donc de ces recherches que, sur les trente-quatre noms — car si les rubriques précédentes sont au nombre de trente-deux seulement, il n'y en a pas moins trente-quatre noms, puisque ceux de Johan et Jaque France sont réunis, de même que ceux de Vulliemin et de Michel Prou — douze présentent des difficultés plus ou moins grandes, alors que, pour les vingt-deux autres, l'identification est tout à fait certaine. Mais cette proportion de 1 à 2 diminue considérablement, si l'on examine, l'un après l'autre, les noms qui ne sont pas immédiatement identifiables: pour « monsegnor d'Aruffens », « segnor Charvin » et « segnor Caczro », la difficulté consiste uniquement en ce que le prénom n'est pas mentionné. Mais, de ce fait même, on peut conclure que ce prénom n'était pas nécessaire pour que l'on sût de qui il s'agissait : c'étaient là des personnages importants — la mention même de leur titre le prouve —, de sorte qu'il est plus que probable qu'on doit identifier ces trois gentils-hommes, comme je l'ai fait, le premier avec Jean de Mestral, le deuxième avec noble Loys Charvin, et le troisième avec noble Gabriel Castiod. — Dans la catégorie des non-identifiés, il ne reste par con-séquent plus que neuf personnes. Mais, de ces neuf, Loy Jordan, Jaquemyn Magnyn et Pernet Torne portent des noms de famille qui existaient alors à Vevey, de même que Pierot Bebo a un nom de famille de la région toute proche de Lavaux : de sorte que, vraisem-blablement, il eût suffi de fouiller les archives des villages avoisinant Vevey pour identifier ces quatre personnes aussi aisément que les autres. — Des cinq derniers, « mecze Jaquet » n'est dénommé que d'une façon trop vague pour qu'on puisse savoir aujourd'hui de qui il s'agissait : il devait être sans doute, à l'époque de la représentation de nos farces, une célébrité locale telle que son seul prénom suffisait à le désigner clairement à ses contemporains. Mais de cette célébrité — célébrité probablement comique — il n'est malheureusement rien resté. — Reste donc, comme ultime résidu, Johan et Jaque France — nous écririons aujourd'hui *Francey* —, Johan Girard, Johan Merloz : mais, pour ceux-là encore, il n'est nullement impossible que des recherches dans les archives des environs n'aient pu mettre au jour des renseignements si précis qu'on en eût dû conclure qu'ils habitaient quelque part sur les bords du lac, entre Villeneuve et Lausanne.

C'eût été là, sans doute, un travail amusant — amusant plus que réellement utile. Le groupe compact des vingt-deux personnages identifiés, en effet — je pourrais même dire, et je dirai dorénavant, des vingt-cinq personnages identifiés, en comptant le sire d'Aruffens, noble Castiod et noble Charvin — suffit à prouver que nous sommes bien à Vevey, que c'est sur quelque place de cette ville qu'a été joué, dans une occasion que nous tâcherons de préciser, le prologue dans lequel figurent tous ces noms. Et comme ce prologue est de la même écriture, de la même langue que la plupart de nos farces, que quel-ques-uns de ses vers répètent, nous le verrons, des vers ou des expres-sions de la farce de *Tot jor dehet,* il est certain que ces farces aussi ont été jouées sur une place de Vevey, avec une partie au moins de nos trente-quatre personnages comme spectateurs.

Mais ce groupe des vingt-cinq personnes identifiées ne montre pas seulement que nos farces ont été jouées à Vevey, qu'elles ont été traduites en patois à Vevey, et que quelques-unes d'entre elles ont été même, sans doute, composées à Vevey par le traducteur en patois de la *Farce de la Fontaine de Jouvence* : Jaquet Barbey et ses amis peuvent nous donner aussi des indications sur l'époque à laquelle eurent lieu, sinon les représentations des farces, du moins la représentation du prologue. Et ce prologue n'était certainement pas donné seul : il devait être suivi de l'une ou l'autre de ces pièces, de celle de *Tot jor dehet* en tout cas. J'en voudrais voir la preuve dans le fait que quelques-uns des vers du prologue sont identiques à quelques-uns des vers [1] de la farce en question, et que les vers « Vini m'edix a lot dependre » (vers 48), « se m'edere a lot dependre » (vers 74) rappellent eux aussi des passages de *Tot jor dehet* : « se m'ederix a le dependre » (*Tot jor dehet,* I, vers 35), « se m'edere a le dependre » (Id., II, vers 4), « e puit m'a edix a dependre » (Id., III, vers 7). Si bien que la date de la représentation du prologue doit être, à peu de chose près, celle de la représentation, à Vevey, de la farce de *Tot jor dehet,* et celle aussi des autres farces.

Nous avons vu que les documents d'archives se rapportant au Vevey du commencement du XVIe siècle — je laisse de côté ceux qui donnent moins de renseignements — sont les suivants: un volume de reconnaissances en faveur du clergé de l'église Saint-Martin datant de 1511 (ACV), un terrier datant de 1520 (AV), un volume de reconnaissances en faveur du chapitre de Lausanne datant de 1525 (ACV), un rentier de l'église Saint-Martin de 1527 (ACV), un terrier en faveur du clergé de Vevey datant de 1537-1538 (AV), un volume de reconnaissances en faveur du clergé de la même église en 1551 (ACV). On peut y ajouter les *Papiers de la recepte causant la directe seignourie... pour... Françoys de Luxembourg* (ACV), non datés, mais qu'il faut assigner, selon toute vraisemblance, à l'année 1537 [2]. Si un document quelconque de l'un de ces recueils nous donne

---

[1] Il s'agit des vers 75 et 77 des fragments publiés ci-haut, qui correspondent aux vers 16 et 18 du troisième fragment de *Tot jor dehet,* ainsi que je l'ai déjà remarqué.

[2] La seule date qui figure dans ce volume est celle de 1550, écrite sur une marge, avec le nom d'Egrege Pierre Grivel et de Venerable frere Vincent Pynant, concionateur de la parolle de Dieu en la ville de Viveys : il doit donc être notablement antérieur à cette date de 1550. Mais on peut préciser ; ces *Papiers* donnent comme défunts Vuillieme et Michel Proux, qui vivaient encore en 1527,

un quelconque de nos personnages comme mort, il faut en conclure, étant tout à fait invraisemblable que l'auteur du prologue ait commis la plaisanterie macabre d'interpeller, en plein public, un jour de fête, des personnes décédées depuis plus ou moins longtemps, que nos pièces sont antérieures à cette mort. Or nous savons que Pierre Bornand était mort avant le 13 décembre 1537 [1], de même que Rod Maczon n'était plus de ce monde le 21 décembre de la même année [2], de même aussi que Johan Pallet avait passé de vie à trépas avant le 18 janvier 1539 [3]. De même encore pour Nycod Gachot [4] ; bien plus : celui-ci, comme nous le fait savoir un autre document, était mort avant le 21 février 1526 [5], puisqu'à cette date sa fille, ainsi que je l'ai remarqué plus haut, était appelée « Loysia filia quondam Nycodi Gaschoz [6] ».

Il s'ensuivrait que la représentation de notre prologue — et, je crois pouvoir généraliser, de nos farces — serait antérieure au 21 février 1526. Qu'elle soit très antérieure à cette date, c'est ce qui me paraît peu vraisemblable : alors qu'en 1551 presque tous nos personnages sont morts, il n'y en a que quatre qui le sont en 1537-1538, et qu'un seul en 1526. Mais peut-être faut-il remonter de quelques années encore pour arriver à la date exacte. Est-ce le cas de faire intervenir les documents relatifs à Bartholomé Chalon ? D'après de nombreux actes notariaux conservés aux Archives cantonales vaudoises, ce personnage est fréquemment mentionné — avec quelquefois la qualification de « provide » et quelquefois le titre de donzel

---

d'après les Rec. chap. Lausanne 1528, fo XXIIvo ; et de Montet, p. 257, dit même que Michel Proux a été banneret de Vevey en 1535-1536. Les nominations à cette charge se faisant le jour de la Saint-Jean d'été, il s'ensuivrait que Michel Proux serait mort au plus tôt en juillet 1536, et que notre volume n'aurait pas été rédigé avant cette date. Comme par ailleurs le terrier GA 89, fo LXXI, le donne comme mort au 16 novembre 1537, il faut en conclure qu'il a dû mourir entre juillet 1536 et novembre 1537. Les *Papiers Luxembourg* ont donc été rédigés au plus tôt en 1536, et au plus tard en 1550 : vraisemblablement plus près de la première de ces dates.

[1] AV, Terrier no GA 89, fo VIIxx I.

[2] AV, Id., ibid., fo XIxx XII.

[3] AV, Id., ibid., fo XIIIIxx III.

[4] AV, Id., ibid., fo IIIIc XXXVI.

[5] Le terrier, à vrai dire, donne à cette reconnaissance la date du 21 février 1525 : mais l'année était comptée suivant le style de l'Annonciation, courant dans le diocèse de Lausanne. Le texte est d'ailleurs formel : « Datum Viviaci die mercuri vigesima prima mensis februarii, anno Domini millesimo quingentesimo vigesimo quinto, ab Annunciatione dominica sumpta. » Il s'agit donc bien, suivant notre façon de compter, de l'année 1526.

[6] ACV, Rec. cathédrale Lausanne, fo XIIII.

de Cully — entre 1503 et le 22 avril 1518. Par contre, le 6 juin de la même année, un contrat de mariage conclu entre sa fille Françoise, veuve de Jean Alno, et Claude De Crevel, enregistre la promesse que font les frères de la nouvelle mariée, Pierre et Rod, de remettre au dit De Crevel la dot de leur sœur, ainsi que leur père ou eux-mêmes étaient tenus de le faire à Jean Alno. Or, il semble que si Bartholomé Chalon avait été encore en vie, c'eût été à lui de s'acquitter de cette promesse. Mais n'était-il pas seulement gravement malade, ou peut-être absent ? Il serait au moins étonnant, en effet, que sa fille se fût remariée si tôt après le décès de son père, si décès il y a eu ; il serait étonnant encore qu'il n'y eût pas un mot dans l'acte, pas un « quondam » pour dire que Bartholomé n'était plus de ce monde le 6 juin 1518. De sorte que, en fin de compte, l'hypothèse de sa maladie ou de son absence momentanée est plus probable : et peut-être était-ce à cause de cette maladie que les frères de l'épousée prirent l'engagement de remettre la dot de leur sœur à son second mari.

La date du 21 février 1526 doit donc être choisie comme *terminus ad quem*. Pour le *terminus a quo,* nos documents ne peuvent évidemment nous être utiles. Par contre, nous avons quelques vers de la *Farce du marchand de volaille* qui nous rendront service. Ce marchand gémit beaucoup, et se plaint en particulier du mauvais état dans lequel se trouvait la circulation monétaire à cette époque :

> Il sont decria le teczont !
> Par ma fe, pix de l'aultrot jor,
> Ont l'a fe acrya pertot
> Qu'i ne sont qu'a .IX. gro et demie [1] ;
> Ont a decria le denyer,
> Le fort, le car de touta sorta ;
> On ne prent que moneya forta [2]...

Trouvons-nous, dans l'histoire monétaire du Pays de Vaud, à la fin du XVe siècle ou dans le premier quart du XVIe, des conditions analogues à celles dont vient de nous entretenir le Marchand de volaille ? Là est la question. — Les monnaies en cours à Vevey vers 1500 devaient être surtout celles de l'évêque de Lausanne, en deuxième lieu celles du duc de Savoie. Quant à la première de ces

---

[1] Ce mot est abrégé dans l'original : c'est à tort que, dans mon édition, j'ai résolu l'abréviation en *denier* ; c'eût été une trop grande négligence, au surplus, de faire rimer ce mot avec lui-même.

[2] *Quelques textes...,* Deuxième partie, p. 322.

sources monétaires, trois évêques peuvent entrer en ligne de compte :
Benoît de Montferrand (1476-1491), Aimon de Montfaucon (1491-
1517), Sébastien de Montfaucon (1517-1536). Pour le premier
d'entre eux, A. Morel-Fatio a déjà remarqué que « le règne de ce
prélat, inauguré par une vive opposition de la part de la Savoie et
en même temps par la dangereuse protection de Berne, ne fut qu'une
longue suite de troubles et de violences » [1], qu'il eut de nombreuses
difficultés avec sa monnaie — c'est d'ailleurs au mépris des coutumes de Lausanne qu'il frappa monnaie de son propre chef, sans
l'assentiment obligatoire des trois ordres de la ville — et que la qualité de son numéraire fut mauvaise. « Des lettres patentes de
Charles Ier de Savoie, en date du 5 février 1483, taxent le quart le
Lausanne à 2 ½ deniers blanchets au lieu de 3, et peu après à 2
deniers seulement », et les quarts de Lausanne ne furent pas mieux
traités par les sept cantons suisses en 1487, si bien que le même
auteur conclut que « ces diverses évaluations semblent affirmer un
affaiblissement marqué dans la monnaie épiscopale à partir du
moment où elle fut transférée de Lausanne à Avenches » [2], c'est-
à-dire à partir de 1483 [3]. A l'épiscopat de Benoît de Montferrand,
pendant lequel, comme nous venons de le voir, la monnaie de
l'évêque avait laissé à désirer et avait été décriée dans les pays voisins, succéda celui d'Aimon de Montfaucon. Ce prélat, au contraire,
s'appliqua de toutes ses forces à faire sortir de la circulation les pièces
de monnaie de mauvais aloi frappées par son prédécesseur : A.
Morel-Fatio note à ce propos que la rareté des espèces de Benoît
de Montferrand, et l'abondance, au contraire, de celles d'Aimon
démontrent que cette expurgation fut soigneusement accomplie.
« Cette fois — ajoute-t-il — la fabrication était normale. » [4] Il est
par conséquent imposible que les plaintes du Marchand de volaille
aient pu être formulées sous l'épiscopat d'Aimon de Montfaucon,
soit entre 1491 et 1517, si tant est — ce qui est probable — que c'est
des monnaies de l'évêque que le Marchand se plaint, dans les vers
cités. Il est très douteux aussi que ces plaintes aient été faites sous le
règne de l'évêque précédent : trop de septuagénaires, en ce cas,
auraient été vivants en 1537.

[1] A. Morel-Fatio, *Histoire monétaire de Lausanne (1476 à 1588)*, in Mémoires et Documents p. p. la Société d'histoire de la Suisse romande, t. XXXV,
Lausanne, 1881, p. 7.
[2] A. Morel-Fatio, op. cit., p. 10.
[3] A. Morel-Fatio, op. cit., p. 9.
[4] A. Morel-Fatio, op. cit., p. 23.

Mais ces lamentations, au contraire, eurent toute leur raison d'être durant l'épiscopat de Sébastien de Montfaucon, le dernier évêque qui résida à Lausanne. « Ce prélat — dit A. Morel-Fatio — a laissé un nom tristement célèbre dans les annales de la monnaie. Sous son administration... l'atelier de Lausanne ne se borne plus, comme par le passé, à la fabrication du numéraire indispensable à l'évêché ; il ne se contente pas même d'infliger à celui-ci des espèces de mauvais aloi qui provoquent d'incessantes et inutiles réclamations à Lausanne, Fribourg et Berne, bientôt cet atelier se transforme en une sorte d'usine criminelle dont les produits malsains vont se répandre à l'étranger, en France surtout. » [1] Sébastien ne paraît pas avoir immédiatement procédé à la fabrication de monnaie ; son activité dans ce domaine s'est manifestée, à ce qu'on en sait, durant deux périodes: par une première émission, commencée en 1521, et par une seconde, datant de 1526. Il est vrai que ce fut ce second monnayage qui provoqua des plaintes. « En 1527, Berne et Fribourg en prohibent les testons ; cette interdiction fut renouvelée en 1529 et 1531. Le 3 janvier 1528, Fribourg décrie les plapparts, quarts, forts et deniers de Lausanne, et en 1529 Berne et Fribourg reprochent encore à Sébastien de Montfaucon la mauvaise qualité de sa monnaie, l'invitant sans relâche à y remédier. » [2] Et, dans les autres pays voisins, en Franche-Comté, en Savoie, la monnaie nouvelle de Lausanne rencontra la même réprobation. Mais il n'est pas possible que le passage de la *Farce du Marchand de volaille* vise cette émission, puisque, nous le savons, nous ne pouvons descendre plus bas que 1524. Sans doute pourrait-on toujours supposer que les différentes farces ne sont pas toutes contemporaines, que le prologue pourrait être antérieur à la *Farce du Marchand de volaille* ; sans doute pourrait-on faire valoir, à l'appui de cette hypothèse, que l'encre avec laquelle ont été écrits ces fragments n'est pas la même pour tous: mais tout porte à croire, l'écriture, le papier, le fait que ces bouts de « rollets » ont été retrouvés ensemble, que, s'ils ne sont pas peut-être exactement contemporains, le temps qui les sépare les uns des autres a dû être extrêmement réduit. De sorte que, malgré tout, il est préférable d'admettre que la farce en question et notre prologue ont été écrits à peu près à la même date, et que par conséquent une remarque valable pour la datation de l'un l'est aussi pour la datation de l'autre.

D'ailleurs, la première émission de Sébastien, décidée dans une réunion des officiers de la monnaie qui eut lieu le 26 juin 1521, laissa

[1] A. Morel-Fatio, op. cit., p. 39.
[2] A. Morel-Fatio, op. cit., p. 44.

elle aussi fort à désirer. Le 26 juillet de la même année, en effet,
l'évêque nomma un certain Virgile Forgerio, de Chieri, maître de
sa monnaie, et le même jour il rendit des ordonnances concernant
la fabrication de ducats d'or, de testons, de pièces de deux sols, d'un
sol, de trois quarts, de quarts, de deniers et de mailles. Mais, note
aussi A. Morel-Fatio, « cette fabrication ne paraît pas avoir été faite
dans des conditions satisfaisantes ; elle mécontenta Lausanne et figure
au nombre des griefs contre l'évêque »[1] : entre autres méfaits, le
maître des monnaies piémontais, qui avait apporté avec lui les coins
de l'atelier italien où il avait précédemment travaillé, s'en servit pour
frapper des testons et d'autres pièces encore[2].

Bien que nous n'ayons pas de renseignements précis sur les manifestations, à Lausanne ou ailleurs, du mécontentement en question,
il n'en est pas moins possible, sinon probable, que c'est précisément
de ce mécontentement que le passage cité plus haut de la *Farce du
Marchand de volaille* est un témoignage. Du décri des monnaies, le
Marchand parle comme d'un fait qui venait d'avoir lieu :

> pix de l'aultrot jor
> Ont l'a fe acrya pertot...

« Pas plus tard que l'autre jour, on a fait crier publiquement partout... » dit-il, ce qui laisserait supposer que la représentation de
cette farce aurait suivi de peu l'émission de la mauvaise monnaie
réglementée le 26 juillet 1521.

Les vers cités plus haut de la *Farce du Marchand de volaille*
donnent quelques faits et quelques noms : les testons sont décriés,
ainsi que les deniers, les forts et les quarts. Ils précisent même que le
teston ne valait plus que neuf gros et demi. La nomenclature de ces
pièces avariées correspond en partie à celle des pièces dont la frappe
était prévue par l'ordonnance du 26 juillet 1521 : notre texte ne
cite cependant ni les ducats d'or, ni les pièces d'un et de deux sols,
ni les mailles. Il est possible qu'à l'époque où le Marchand faisait
ses doléances, une partie seulement du monnayage de l'évêque ait
été défectueux. — Quant aux forts, si tant est que Sébastien de
Montfaucon n'en a pas frappé en 1521 — l'émission de 1526 en
comprenait en tout cas[3], — il pourrait s'agir de monnaies des ducs
de Savoie, et plus particulièrement de Charles II, qui lui aussi

---

[1] A. Morel-Fatio, op. cit., p. 42.
[2] A. Morel-Fatio, op. cit., p. 49. Cf. en particulier D. Promis, *Monete delle
Zecche di Masserano e Crevacuore dei Fieschi e Ferrero*, Torino, 1869, p. 22.
[3] A. Morel-Fatio, op. cit., p. 82.

frappait entre autres des deniers, des forts et des quarts [1], tous d'ailleurs de mauvais aloi, en particulier les basses monnaies, comme les quarts et les forts [2]. Et cette monnaie de Savoie devait avoir cours aussi à Vevey, bien qu'en moins grande quantité, sans aucun doute, que celle des évêques de Lausanne.

Si, dans tous ces détails, il n'y a pas, à vrai dire, une coïncidence absolue entre les indications fournies par le Marchand et celles que l'on possède sur l'état de la monnaie des évêques et des ducs au commencement du XVIe siècle, c'est que nous n'avons malgré tout que des renseignements fragmentaires sur cette monnaie, les genres de pièces, leur origine et leur valeur, sur la circulation monétaire en un mot à Vevey vers 1520. Rien ne s'oppose, en tout cas, à voir dans les plaintes du Marchand un reflet de l'état de cette circulation postérieurement à 1521, tandis que ces plaintes ne se comprendraient pas à une date antérieure, puisqu'il semble bien que 1521 fut la date du premier monnayage effectué sur les ordres de Sébastien de Montfaucon, et que par ailleurs, le monnayage de son prédécesseur avait été excellent. Rien ne s'oppose, dès lors, à ce qu'on admette que nos farces patoises ont été représentées — et sans doute écrites — en 1523, 1524 ou 1525.

Peut-on préciser encore plus, et choisir entre ces deux années ? Les Archives de Vevey conservent un recueil de comptes communaux qui s'intercalent entre 1481 et 1548. Ce recueil est d'ailleurs incomplet : pour la période qui nous intéresse, ne sont parvenus jusqu'à nous que les comptes de 1501, 1508-1509, 1510, 1511-12, 1513, 1515, 1516, 1521, 1522, 1524, 1525, 1526, 1527 et 1528. Or, l'une et l'autre fois, ces comptes qui, aux dépenses, ne mentionnent guère, comme la plupart des comptes des petites villes de l'époque, que les salaires payés aux officiers communaux, les frais de réparation de conduites d'eau ou de replâtrage de quelque local public, signalent des gratifications en argent accordées à des personnes qui avaient donné quelque représentation. Ainsi pour 1516, à propos d'une moralité [3] ; pour 1522, lors de la représentation d'une *Histoire de sainte Suzanne* et d'une *Histoire de l'enfant prodigue* [4] ; pour

---

[1] Cf. *Corpus nummorum Italicorum*, vol. I, Casa Savoia, Roma, 1910, p. 141 sqq.

[2] D. Promis, *Monete dei reali di Savoia,* Torino, 1841, vol. I, pp. 173-174.

[3] AV, Comptes communaux 1481-1546, A 3, 1516 : « Libravit die iovis XIX junii illis qui fecerunt unam moralitatem... IIII flor. VII s. »

[4] AV, Id., 1522 : « Libravit de precepto dominorum consiliorum lusoribus qui luserunt ystoriam sancte Susanne XXIIII s. — Item libravit noviter et aliis qui luserunt ystoriam pueri prodigi, de voluntate quo supra IIII flor. »

1525, à propos d'une moralité [1]. Il semblerait donc, à première vue, que si nos farces avaient été représentées durant un des exercices financiers dont nous avons les comptes, nous en aurions un écho dans ces comptes mêmes : et comme de 1524 à 1528 les comptes ont été conservés, et qu'il n'ont rien, et comme justement ceux de 1523 font défaut, on pourrait être tenté de supposer que les farces auraient été représentées cette année-là.

Mais ce serait une conclusion trop audacieuse. Les quatre gratifications accordées l'ont été pour des pièces religieuses ou pour des moralités : ce que le conseil récompensait, c'était vraisemblablement plus l'intention dévote, ou tout au moins moralisante, des acteurs, que le fait qu'ils divertissaient le public. Et il n'est pas sûr qu'il eût été dans ses intentions de subventionner la représentation de simples farces, si innocentes qu'elles fussent. Bien plus : il n'est pas certain que nos farces aient été jouées pour un vaste public, et que l'administration communale ait eu, dès lors, une raison directe de lui accorder ses faveurs.

J'ai déjà noté, en effet, que les noms qui figurent dans le prologue ne sont que des noms d'hommes. Pourquoi le compère monté sur ses tréteaux n'adressait-il pas un seul mot respectueux aux nobles femmes des seigneurs qu'il voulait attirer à la représentation, pas un seul mot, plus ou moins spirituel, plus ou moins satirique, aux femmes des marchands, des artisans, des petits bourgeois dont nous avons les noms ? D'autre part, chose à noter aussi, les rôles de femmes, dans toutes nos farces, sont extrêmement peu nombreux : les cinq farces que nous possédons, en effet, comprennent un total de treize personnages, dont onze hommes, et deux femmes seulement : celle de la *Farce de la Fontaine de Jouvence,* qui devait être d'un certain âge, et celle de la cinquième farce, farce à laquelle je n'ai pas donné de titre, mais qui doit être rapprochée, comme je l'ai montré plus tard, d'une farce française que j'ai appelée la *Farce du Fol, du Mari, de la Femme et du Curé* [2]. — Absence de femmes, semble-t-il, dans le public ; nombre extrêmement restreint des rôles de femmes dans les farces représentées — rien ne dit, au surplus, que ces rôles ne furent pas remplis par des hommes: ni l'un ni l'autre n'étaient d'une grâce telle qu'une femme fût indispensable. —

---

[1] AV, Id., 1525 : « Libravit illis qui fecerunt historiam moralem in crastino Penthecoste II flor. »

[2] Sur le sujet de cette farce, cf. mon article *Moralité et farces des manuscrits Laurenziana-Ashburnham n°s 115 et 116,* in *Archivum romanicum,* vol. XIII (1929), pp. 501-506.

Serait-ce peut-être que ces comédies auraient été jouées lors d'une circonstances spéciale, dans une réunion, dans une fête fréquentée uniquement par des hommes ?

S'adressant à Loy d'Oron, le compère, dans le prologue publié plus haut (vers 29-31), l'apostrophe ainsi :

> Loy d'Oron, vindriczoz pa ?
> Par De vuat ! tot sarix taxa,
> Se tot ne vin in la bay !

« Louis d'Oron, ne viendras-tu pas ? Parbleu ! tu seras mis à l'amende, si tu ne viens à l'abbaye ! » Il est clair que ce mot ne peut avoir là son sens habituel de « monastère gouverné par un abbé ou une abbesse », mais qu'il faut lui attribuer une des valeurs qu'a, ou avait, abbaye en Suisse romande [1], c'est-à-dire ou celle de « corporation de métiers » (d'où « local de réunion d'une corporation de métiers »), ou celle de « fête d'une corporation de métiers ou, plus spécialement, de tireurs ». Mais le premier de ces sens ne semble pas convenir ici. L'identification des personnages cités dans le prologue, en effet, nous a montré que ceux-ci appartenaient à des milieux sociaux assez divers: les membres de la petite noblesse locale voisinent avec le marchand France Carcanyola, le marchand Loy d'Oron, le notaire Guillaume de Villa, « meczre Phillibert », surnom de maître Humbert Favre, tailleur de pierres, « meczre G., pintre », soit vraisemblablement maître Glaude de Bolaz, qui était peintre de son métier. Il est difficile, par conséquent, d'admettre que ces personnages de conditions si différentes aient pu faire partie d'un même corps de métier. Par contre, rien n'empêcherait qu'ils aient pu faire partie d'une même société de tir. Mais, à voir les choses de plus près, cette solution n'est encore pas satisfaisante, car d'une part ce n'est qu'à partir de 1550 qu'on a des mentions des arquebusiers de Vevey [2] — il est vrai que cet acte de 1550, par lequel la ville laisse aux arquebusiers, couleuvriniers et arbalétriers de la chevauchée de Leurs Excellences de Berne l'usage d'un grand verger qu'ils avaient loué précédemment de l'administration de l'hôpital, fait voir que cette organisation de tireurs existait antérieurement déjà à cette date, — et que d'autre part ce n'est qu'à partir du XVIIe siècle que l'on voit, dans le Pays de Vaud, des sociétés de tir prendre le nom

---

[1] Cf. Glossaire des patois de la Suisse romande, vol. I, pp. 38-41.
[2] F. Amiguet, Les abbayes vaudoises, histoire des sociétés de tir, Lausanne, 1904, p. 175.

d'*Abbayes* [1], et qu'en particulier ce n'est qu'en 1649 qu'est mentionnée à Vevey la société qui prit le nom d'*Abbaye du Grand Mousquet*.

Il y a par contre une solution plus satisfaisante. Le *Glossaire des patois de la Suisse romande* donne également à *Abbaye* le sens de « associations poursuivant un but d'amusement », sens attesté pour le XVIe siècle par un passage de Bonivard, en particulier [2] : et ce sens, je crois, ne fait qu'un avec celui de « société de jeunesse » signalé immédiatement après par le *Glossaire*. Dès le XIIIe siècle, il existait à Genève une *abbaye de St. Pierre,* qui prit bientôt un caractère militaire ; mais c'est à tort qu'on a fait de l'*Abbaye des nobles enfants,* qui existait à Lausanne dès 1521, et qui fut supprimée en 1544, une société de tir [3] : je supposerais que c'était là plutôt un groupement de jeunes gens faisant à l'occasion du théâtre en amateur. Et c'est ce qu'était aussi, je pense, notre *abbaye* de Vevey.

Société de jeunes gens qui se divertissaient entre eux, les uns acteurs, les autres spectateurs. C'est tout au plus si l'on invitait aux représentations quelques personnages importants des alentours : le châtelain de Saint-Gingolph, par exemple.

Il eût été sans aucune doute intéressant de retrouver, dans les documents écrits à Vevey à cette époque, l'écriture et la signature de l'auteur-traducteur de nos farces, qui dès lors aurait été identifié sans autre : mais il ne m'a pas été donné de mettre la main sur un document semblable. Qu'il s'agisse d'un homme cultivé, c'est ce qui est hors de doute : pour qu'il ait pu écrire ou traduire ces farces, il fallait qu'il eût connu le répertoire comique de l'époque, qu'il sût comment on agençait une pièce, qu'il connût aussi la versification — ses vers, en effet, sont la plupart du temps fort corrects — et qu'il eût assez d'intelligence et de finesse pour forcer son patois natal à entrer dans l'octosyllabe français, ce à quoi sans doute il n'était nullement habitué. Il ne serait pas trop osé, dès lors, d'imaginer qu'il devait appartenir à la bourgeoisie cultivée du Vevey d'alors, et qu'il était lui-même notaire, apothicaire peut-être : les *Papiers Luxembourg* donnent, pour 1537 environ, plusieurs notaires, Guillaume de Villaz, Pierre Grivel — déjà cité du reste dans des reconnaissances de 1525 —, Anselme Cucuat, Guillaulme Parpillion ; et comme apothicaires on avait à la même époque Claude Bolliet, qui

---

[1] E. Mottaz, *Dictionnaire historique, géographique et statistique du canton de Vaud,* t. I, Lausanne, 1914, p. 8. Cf. F. Neri, *Giornale storico della letteratura italiana,* t. XL, p. 1 sqq.

[2] *Glossaire des patois de la Suisse romande,* vol. I, p. 36.

[3] F. Amiguet, op. cit., p. 73.

exerçait cette profession en 1525 déjà, ainsi que Claudius Michod. Mais qui choisir ? Notre auteur anonyme, je le vois jeune, je me le représente comme le boute-en-train de l'*abbaye* qui représentait ses pièces : peut-être, par ailleurs, n'était-il ni notaire ni apothicaire, mais faisait-il partie de la petite noblesse de la ville. Rien d'impossible à ce que, parmi les jeunes gens qui appartenaient à cette classe sociale, il y en eût eu un assez instruit et assez amateur de théâtre pour pouvoir écrire les farces qui, par le plus grand des hasards, nous ont été conservées. En ne signant point ses pièces, en gardant l'anonymat, il suivait là encore la tradition des auteurs comiques du moyen âge. Ce qu'il avait voulu — et sans doute y était-il parvenu —, ce qui avait été son unique ambition, ç'avait été de faire rire, pendant quelques instants, ses amis et leurs invités.

L'AUTEUR PROBABLE
DES FARCES EN FRANCO-PROVENÇAL
JOUÉES A VEVEY VERS 1520

Revenant une fois de plus sur la question de la patrie et de la date [1] des farces en franco-provençal que je découvris en 1920 aux Archives de l'Etat de Fribourg [2], je pense avoir alors démontré de façon convaincante que ces pièces n'étaient pas fribourgeoises, comme je l'avais supposé tout d'abord, mais qu'elles furent jouées à Vevey, aux alentours de 1520 : un fragment, que je n'ai publié que dans mon dernier article, et qui contenait quantité de noms de personnes de cette ville ayant assisté à l'une des représentations de ces farces, m'a permis d'arriver à ces conclusions, précisées également par certaines allusions faites au mauvais état de la monnaie du temps dans la *Farce du marchand de volaille*.

J'ai montré aussi que ces pièces de théâtre ont été jouées par une *abbaye*, c'est-à-dire par une société de jeunesse locale, telle qu'il en existait dans quelques villes des environs au commencement du XVIe siècle, et que le public invité à la représentation formait peut-être un cercle relativement restreint, bien que composé d'éléments très divers. De sorte que seule l'identification de l'auteur, ou de l'auteur-traducteur — car l'une ou l'autre ne doivent être que des traductions patoises d'originaux français — de nos pièces restait en suspens. J'écrivais en effet à ce propos: « Il eût été sans aucun doute intéressant de retrouver, dans les documents écrits à Vevey à cette époque, l'écriture et la signature de l'auteur-traducteur de nos farces,

---

[1] P. Aebischer, *Le lieu d'origine et la date des fragments en franco-provençal,* in *Archivum romanicum,* vol. XV (1931), pp. 514-540. Il s'agit, inutile de le dire, de l'étude réimprimée plus haut.

[2] P. Aebischer, *Quelques textes du XVIe siècle en patois fribourgeois,* in *Archivum romanicum,* vol. IV (1924), pp. 342-361, et vol. VII (1923), pp. 288-336.

qui dès lors aurait été identifié sans autre : mais il ne m'a pas été donné de mettre la main sur un document semblable. Qu'il s'agisse d'un homme cultivé, c'est ce qui est hors de doute : pour qu'il ait pu écrire ou traduire ces farces, il fallait qu'il eût connu le répertoire comique de l'époque, qu'il sût comment on agençait une pièce, qu'il connût aussi la versification — ses vers, en effet, sont la plupart du temps corrects — et qu'il eût assez d'intelligence et de finesse pour forcer son patois natal à entrer dans l'octosyllabe français, ce à quoi sans doute il n'était nullement habitué. Il ne serait pas trop osé, dès lors, d'imaginer qu'il devait appartenir à la bourgeoisie cultivée du Vevey d'alors, et qu'il était lui-même notaire, apothicaire peut-être : les *Papiers Luxembourg* donnent, pour 1537 environ, plusieurs notaires, Guillaume de Villaz, Pierre Grivel — déjà cité du reste dans des reconnaissances de 1525 —, Anselme Cucuat, Guillaulme Parpillion ; et comme apothicaires on avait à la même époque Claude Bolliet, qui exerçait cette profession en 1525 déjà, ainsi que Claudius Michod. Mais qui choisir ? Notre auteur anonyme, je le vois jeune, je me le représente comme le boute-en-train de l'abbaye qui représentait ses pièces. » Je terminais, il est vrai, sur une note plus vague, apeuré que j'étais par ma fougue divinatoire : « Peut-être, par ailleurs — ajoutai-je — n'était-il ni notaire ni apothicaire, mais faisait-il partie de la petite noblesse de la ville. Rien d'impossible à ce que, parmi les jeunes gens qui appartenaient à cette classe sociale, il y en eût eu un assez instruit et assez amateur de théâtre pour pouvoir écrire les farces qui, par le plus grand des hasards, nous ont été conservées. »[1]

Ces dernières lignes étaient sans doute inutiles, puisque, selon toute probabilité, l'auteur de nos farces patoises doit bien être cherché parmi ceux dont je citais le nom, que c'est un notaire — et il me paraissait plus probable que l'on dût trouver notre comédiographe parmi les notaires que parmi les apothicaires, plus voisins de nos épiciers que de nos actuels pharmaciens-chimistes — et qu'il était jeune alors qu'il commit ses farces. J'ai eu l'occasion par la suite, en effet, de parcourir un certain nombre de registres du conseil de Vevey, datant de la première moitié du XVIe siècle : et, en parcourant le minutaire du registre comprenant les années 1537 à 1549[2], je fus frappé de l'étrange analogie de son écriture avec celle de presque tous les fragments de mes farces. Toutes ces pièces, on le

---

[1] P. Aebischer, *Le lieu d'origine...*, pp. 539-540.
[2] A[rchives de] V[evey], Registre du Conseil no 8.

sait, tant celles complètement en patois que celles écrites partie en
français, partie en franco-provençal, sont de la même main, sauf la
dernière [1] ; et c'est cette même main aussi qui a copié d'autres fragments, ceux de la *Passion* par exemple [2]. Or, si l'on compare l'écriture du registre et celle de la farce patoise dont les photographies
se trouvent aux pages 346, 349, 352, 355 et 358 du volume IV de
l'*Archivum,* à celles des pages 355 et 358 en particulier, qui donnent
le texte dans sa grandeur exacte, on en constatera sans peine la très
grosse ressemblance. Il m'est impossible d'entrer dans tous les détails:
qu'il me suffise de faire ressortir l'identité, entre autres, des r- initiaux, des -x à la finale, de l'abréviation *pour,* des -z finals, des g-
commençant un mot ; du N majuscule, du groupe tr- à l'initiale, du
groupe bl : et plus on examine ces deux écritures, plus on doit reconnaître qu'elles sont étrangement voisines l'une de l'autre. Je ne pourrais citer, comme traits divergents, que deux détails de peu d'importance : un certain nombre de a de la page du registre ont une ligne
oblique à la partie supérieure de la lettre, alors que cette ligne ne
se rencontre jamais dans les a des fragments patois. Mais ce trait,
remarquons-le, ne se rencontre de loin pas dans tous les a du registre:
beaucoup en sont complètement dépourvus, c'est-à-dire qu'ils ont
exactement la même forme que ceux des farces. En second lieu, le
groupe ll de ces pièces a les angles inférieurs des jambages légèrement arrondis, alors qu'ils se présentent en angles aigus les deux
seules fois — dans les noms *Billiod* et *Billiodaz* — qu'on les rencontre
dans la page du registre.

Mais il importe de bien fixer certains points: c'est que nos farces
ont été écrites vers 1520, tandis que notre page du registre du Conseil
de Vevey date de 1546. En vingt-cinq ans, une écriture, surtout chez
un homme jeune, peut se modifier dans quelques-uns de ses détails.
Puis — et cette remarque est bien plus importante que la précédente — le caractère, ou, je dirais mieux, le degré de solennité de
l'écriture n'est pas tout à fait le même dans les deux textes: les farces
patoises ont été évidemment écrites au courant de la plume : nous
avons affaire là à l'écriture la plus cursive, la moins apprêtée de cet

---

[1] *Quelques textes du XVIe siècle...,* in *Archivum romanicum,* vol. VII, pp.
330-336. Sur le sujet de cette farce, dont je n'avais retrouvé que quelques fragments, cf. mon étude *Moralité et farces des manuscrits Laurenziana-Ashburnham
n°s 115 et 116,* in *Archivum romanicum,* vol. XIII (1929), pp. 501-515.

[2] Cf. P. Aebischer, *Fragments de moralités, farces et mystères retrouvés à Fribourg,* in *Romania,* t. LI (1925), p. 521.

intellectuel. Le minutaire du registre, lui, représente déjà une calli-
graphie légèrement plus relevée, plus officielle, si l'on veut. Rien
d'étonnant, dès lors, si l'on constate quelques minimes différences
graphiques entre ces deux textes, puisque nous avons même des traits
légèrement dissemblables dans la seule page du registre : j'ai parlé
tout à l'heure des deux *a* qu'on y rencontre; ajoutons-y par exemple
les deux types de *d*- initiaux, l'un dans « de mars » (ligne 11) et
l'autre dans « donné » (ligne 3), les deux *l*- initiaux de « le VIIIe
d'avril » (ligne 16) et de « le XXII d'avril » (ligne 19).

Il ne serait pas impossible, sans doute, que ces deux écritures ne
se ressemblent que parce qu'elles sont le produit, non seulement
d'une même époque et d'un même lieu, mais d'une même école.
Mais il n'en reste pas moins que le cercle dans lequel nous pouvons
chercher l'auteur-traducteur de nos farces est très restreint: or, l'écriture de Guillaume de Villaz, je la connais, de même que celle de
Pierre Grivel, qui a été lui aussi secrétaire du conseil de Vevey : on
a, en les examinant, le sentiment très net qu'elles ne peuvent être
celle de notre amateur de théâtre. J'irais plus loin : plus on les étudie, ces écritures, plus on se persuade — ou presque — que l'auteur
des farces doit être le secrétaire de ce même conseil, à qui l'on doit
le registre contenant les délibérations de 1537 à 1549.

Ce secrétaire, qui était-il ? Tandis que Pierre Grivel signe le pro-
tocole de chacune des séances, qu'il n'écrit la minute d'aucun acte
sans la faire suivre d'un beau paraphe, le registre n° 8 ne contient
aucune signature, aucun indice de l'identité du secrétaire — sauf
(mais cela nous suffit) la mention suivante: « l'on a donné liscence...
de louer a Aymé Montant la mayson de Guillaume du Foux, et moy
Anserme Cucuat l'ay fiançé, et il a promis de m'en garder de dom-
mage » [1]. Notre secrétaire du conseil était donc le notaire Anselme
Cucuat et, s'il est vrai que l'écriture des farces est la même que celle
du registre, l'auteur-traducteur sur lequel nous cherchons à mettre
un nom serait ce même notaire Anselme Cucuat.

Constatation attristante pour mon amour-propre national, si tant
est que je suis accessible à ce sentiment. Après déjà que j'ai dû
remettre au canton de Vaud des textes que je croyais primitivement
fribourgeois, voilà qu'il me faudrait attribuer ces farces en patois
veveysan... à un auteur Savoyard d'origine. Anselme Cucuat, en
effet, dans les plus anciennes mentions que je connaisse de lui, est
dit originaire de Cluses en Faucigny, soit Cluses près de Bonneville

---

[1] AV, Registre du Conseil n° 8, f° 84.

(Haute-Savoie): dans un terrier qu'il dressa, sur l'ordre des frères Nicod et Loys de Tavel, pour le fief que ceux-ci possédaient dans la région de Saint-Martin et de Progens (Fribourg), en 1512, il s'intitule « Anselmum Cucuati de Clusis, gebennensis diocesis, notarium publicum » [1]. Alors déjà il était établi à Vevey, mais en qualité d'habitant seulement. Il y fut reçu bourgeois quelques années après, sans doute: en 1520, en tout cas, quand il dresse le registre de reconnaissances en faveur de la famille de Montvuagniard, pour des terres situées aux environs de Châtel-Saint-Denis (Fribourg), il se qualifie déjà de « Anselmi Cucuati de Clusis in Funcigniaco, gebennensis diocesis, nunc burgensis Viviaci..., imperiali ac illustrissimi domini nostri Sabaudiae reverendissimi ducis autoritatibus notarii publici » [2], ce qui paraît signifier, et que chacun était au courant de ses origines savoyardes, et qu'il n'y avait pas très longtemps qu'il avait été agrégé à la bourgeoisie de Vevey. Dans des mentions postérieures, en effet, dans les reconnaissances qu'il fit de ses maisons, de ses terres, à Vevey et aux alentours, le 14 décembre 1537 [3], le 13 novembre 1545 [4], le 16 août 1553 [5], on ne trouve plus que l'indication « burgensis Viviaci ».

Notre notaire paraît s'être marié peu après 1520 : je lui donnerais volontiers trente ans au plus à cette date. Sa femme était noble Marguerite Collomb, fille de noble François Collomb, bourgeois de Vevey [6]. C'était là une famille de toute petite noblesse, comme la plupart des familles qualifiées de Vevey à cette époque : n'empêche que Cucuat avait réussi à entrer dans la bonne société de la ville. Le 19 décembre 1549, une reconnaissance mentionne son fils adoptif, Anselme [7] aussi : et le même texte nous fait connaître que notre notaire était alors directeur de l'hôpital de Vevey. Cette filiation adoptive n'empêcha pas d'ailleurs Anselme d'avoir de sa femme plusieurs enfants : une fille d'abord, semble-t-il, Gasparde, signalée en 1551 déjà : dans une reconnaissance qu'elle fit le 24 novembre de cette année-là, elle est appelée « noble Gasparde, fille de discret Anselme Cucuat, bourgeois de Vevey » [8], et nous savons qu'elle était

---

[1] A[rchives de l']E[tat de] F[ribourg], Terrier de Rue no 82, f. XVIIIvo.
[2] AEF, Terrier de Châtel-Saint-Denis no 49, f. Ivo.
[3] AV, Terrier no GA 89, f. VIIxx III.
[4] AV, Terrier no GA 61, f. 252vo.
[5] AV, Terrier no GA 10, f. VIxx XVII.
[6] A[rchives] c[antonales] v[audoises], Notaire Chevalley, 8e registre, f. 176vo.
[7] AV, Terrier no GA 130, f. VIIxx XVIvo.
[8] ACV, Terrier no Fee 14e, f. IIe XIIIvo.

alors mariée à discret Jaques Cheney — c'était donc probablement un notaire —, de « Bonnaz », soit Bonne, près d'Annemasse (Haute-Savoie). Ce personnage, qualifié par la suite de « noble », habitait du reste Vevey, d'où il acquit plus tard la bourgeoisie : nous le retrouvons, en même temps que sa femme, en 1566 [1] et en 1570 [2]. Par contre, en 1578, il était mort, et Gasparde était alors remariée à noble François Favre [3]. La dernière mention que je connaisse de cette fille d'Anselme Cucuat est de 1585 [4].

Notre notaire eut deux autres filles encore, Rosaz et Françoise. En 1566 [5], la première était l'épouse de noble Pernet de Mellet, bourgeois de la Tour-de-Peilz, près de Vevey, et Françoise celle de Claude Mercier, bourgeois de Lausanne. Il eut de plus un fils, Pierre, sur qui nous ne savons rien, sauf qu'il mourut avant le 9 mars 1595 [6] : son décès, sans doute, fut très antérieur à cette date. Albert de Montet, dans sa généalogie manuscrite de la famille Cucuat [7], précise en effet, sans que j'aie pu vérifier ses dires, qu'il testa le 29 mai 1566, et qu'il mourut de la peste avant le 4 juin de la même année comme il résulterait de documents relatifs à l'hôpital de Vevey.

Quant à notre auteur comique d'occasion, nous ne connaissons pas exactement la date de son décès : il serait antérieur, d'après de Montet, à cette même date du 4 juin 1566.

Ces quelques détails biographiques sont intéressants surtout du fait qu'ils précisent le milieu dans lequel vivait Cucuat, dans sa ville d'adoption. Ils nous montrent que non seulement il s'était allié à une famille de la petite noblesse locale, mais que deux de ses filles étaient entrées dans deux familles de ce même rang social : il ne pouvait guère faire mieux. Ces détails, la première mention de son nom comme commissaire rénovateur d'extentes en 1512, son agrégation postérieure à la bourgeoisie de Vevey, laissent entrevoir au surplus qu'il devait être jeune au moment où l'on représenta mes farces patoises, vers 1520. Notons ensuite— et c'est là, si je ne me trompe, un indice de plus que l'auteur de ces pièces pourrait être Cucuat — que dans le prologue que j'ai publié récemment, dans ce monologue où le régisseur invite le public à assister à la représenta-

---

[1] AV, A. de Montet, Filiations bourgeoises de Vevey, vol. A-J, f. 146.
[2] ACV, Notaire Chevalley, 2e registre, fos 9vo et 16.
[3] ACV, id., 5e registre, f. 37.
[4] ACV, id., 7e registre, f. 18vo.
[5] AV, Terrier, no GA 130, f. VIIxx XVIvo.
[6] ACV, Notaire Chevalley, 8e registre, fos 175-176.
[7] AV, A. de Montet, Filiations bourgeoises de Vevey, vol. A-J, f. 146.

tion, nous ne trouvons justement pas le nom d'Anselme Cucuat, qui pourtant, à cette époque déjà, habitait depuis plusieurs années Vevey, qui était notaire alors déjà, et qui par conséquent devait faire déjà partie des notabilités de l'endroit : omission qui s'expliquerait le mieux du monde, si l'on admettait que le régisseur était précisément Cucuat.

Existerait-il enfin un autre indice encore permettant de supposer quelque culture littéraire à notre tabellion ? J'ai retrouvé, aux Archives de l'Etat de Fribourg toujours, deux doubles feuillets en parchemin, restes d'un manuscrit de jongleur du *Roman d'Alexandre* de Lambert le Tort et Alexandre de Bernai [1]. Or ces deux fragments avaient été employés à assujettir plus fortement la reliure d'un ter-rier, d'un terrier dressé justement par Anselme Cucuat : il s'agit du terrier, datant de 1512, relatif aux possessions de Nicod et Loys de Tavel situées dans les régions de Saint-Martin et de Progens. Sans doute remarquais-je que « la patrie du notaire qui rédigea le terrier a beaucoup moins d'importance, quant à l'origine du manuscrit, que la patrie du relieur qui relia le volume » [2] : et ce relieur, qui vrai-semblablement était Veveysan, ne pouvait être Cucuat, puisque, sur les plats de cuir qui revêtent le volume, se lisent à plusieurs reprises les lettres HR, qui étaient probablement ses initiales. Mais serait-il impossible qu'en même temps que le manuscrit du terrier, le notaire ait apporté au relieur des débris de parchemin dont il ne savait plus que faire ? Il est vrai, avouons-le, que ce n'est pas un indice de grande curiosité littéraire, que de se débarrasser ainsi des vieux manuscrits de sa bibliothèque. Mais Cucuat était coutumier du fait, puisqu'il a fait disparaître de la sorte (et je lui en suis reconnaissant) les farces imprimées qu'il possédait, de même que ses manuscrits autographes et d'autres copies de farces et de mystères.

Je m'en voudrais, du reste, d'insister plus qu'il ne convient sur cette hypothèse, et je préfère terminer en résumant les indices qui permettraient de supposer que nous avons bien, dans la personne d'Anselme Cucuat, l'auteur des farces patoises jouées à Vevey vers 1520. L'argument principal est tiré de l'écriture : celle de ces farces ressemble étonnamment à celle du registre n° 8 du conseil de Vevey, qui est celle de Cucuat ; les quelques divergences que l'on peut rele-ver entre elles ne sont pas suffisantes pour qu'il faille exclure que

---

[1] P. Aebischer, *Fragments d'un manuscrit du « Roman d'Alexandre » de Lam-bert le Tort et Alexandre de Bernai*, in *Archivum romanicum*, vol. IX (1925), pp. 366-382.

[2] P. Aebischer, art. cit., p. 367.

nous ne sommes en présence que d'un seul scribe : elles peuvent fort bien s'expliquer, et par la différence de date des deux textes, et surtout par le fait que, dans les farces, nous avons un type beaucoup plus cursif, moins appliqué encore que dans le registre. Par ailleurs, rien, dans les dates que nous connaissons, ne s'oppose à ce qu'Anselme Cucuat ait écrit ces farces à Vevey vers 1520: il se trouvait alors déjà dans cette ville ; il était jeune certainement : et il est improbable que nos farces aient été composées ou traduites par un barbon. En tant que notaire, Cucuat devait avoir une certaine instruction : notre auteur patois devait avoir lui aussi quelque culture. Cette culture, peut-être l'avait-il acquise à l'étranger, à Lyon par exemple : et peut-être est-ce là qu'il se serait pris de passion pour le théâtre. Ce serait là aussi qu'il aurait pu se procurer les farces imprimées dont j'ai retrouvé les fragments : comme Philipot l'a conjecturé [1], il ne serait nullement impossible que le dialogue de *Gautier et Martin* [2] ait été imprimé dans l'officine lyonnaise de Barnabé Chaussard, à laquelle on doit tant d'autres pièces du même genre.

Hypothèses que tout cela aussi, sans doute. Mais hypothèses qui ne manquent point de vraisemblance, me semble-t-il. Supposons, pour terminer, le problème résolu : il s'ensuivrait que nos farces en patois de Vevey sont l'œuvre d'un Savoyard. Cucuat a-t-il, dans ses pièces, dans la langue qu'il a employée, laissé passer des formes de son parler natal ? J'avoue que je ne l'ai pas remarqué : c'est peut-être parce que des points de comparaison font défaut, que les morceaux en patois vaudois manquent pour cette époque. Peut-être aussi s'était-il si parfaitement assimilé le parler de la petite ville qu'il habitait depuis plusieurs années que nous avons, jusque dans les plus infimes détails, des textes veveysans dans nos farces. Toujours est-il — si le problème est vraiment résolu — qu'il faut renoncer à voir dans Cucuat un auteur vaudois : ce n'était qu'un Vaudois d'adoption. Consolons-nous à la pensée qu'alors la notion de nationalité était plus imprécise que de nos jours, et qu'on était du pays qu'on habitait. L'auteur, du reste, a écrit ses farces pour Vevey, il y a fait des allusions veveysannes ; les acteurs étaient de l'endroit, le public

---

[1] E. Philipot, *Trois farces du Recueil de Londres ; Recherches sur l'ancien théâtre français*, Rennes, 1931, p. 40, note 3.

[2] J'ai édité une première fois ce dialogue dans un article intitulé *Trois farces françaises inédites trouvées à Fribourg*, in *Revue du seizième siècle*, vol. XI (1924), pp. 157-192 (aussi tiré à part : pp. 29-64), puis dans une publication, *Trois farces du XVe siècle*, Fribourg MCMXXVIII, pp. 30-69, tiré à quarante exemplaires seulement.

aussi, sauf le châtelain de Saint-Gingolph, auquel sont dédiés quelques-uns des vers humoristiques du prologue.

N'empêche, après tout, que je ressens quelque dépit de ce que, chaque fois que j'étudie une œuvre théâtrale attribuable à la Suisse romande, il me faille en fin de compte en faire honneur à un sujet du duc de Savoie : ç'a été le cas une première fois avec le *Miracle de saint Bernard de Menthon* [1], et voilà que cela se reproduit aujourd'hui. Nos ancêtres étaient-ils réellement des Béotiens ? J'ai peur de devoir finir par le croire...

---

[1] P. Aebischer, *Une œuvre littéraire valdôtaine ? Le « Mystère de saint Bernard de Menthon »*, in *Augusta Praetoria*, 7e année (1925), pp. 49-61. Cette étude, complétée et mise à jour, est reproduite dans le présent recueil, pp. 95-116.

LE THÉÂTRE DANS LE PAYS DE VAUD
A LA FIN DU MOYEN AGE

Que cependant nos ancêtres n'aient pas été aussi béotiens qu'on pourrait l'imaginer, c'est ce qui ressort clairement des dizaines et des dizaines d'informations que nous possédons sur l'activité théâtrale du Pays de Vaud en particulier.

Depuis le jour déjà lointain où E. Chavannes publia ses extraits des manuaux du Conseil de Lausanne [1], extraits qui comprenaient en particulier une douzaine de mentions, plus ou moins détaillées, se rapportant à des représentations dramatiques à Lausanne, plusieurs auteurs, utilisant ces renseignements, ont consacré quelques lignes au théâtre médiéval dans notre pays : Philippe Godet [2], par exemple, et Virgile Rossel [3]. Plus récemment, certaines études ou certaines monographies traitant de l'histoire de localités vaudoises ont mis au jour, elles aussi, de nouvelles indications relatives à ce chapitre de notre histoire littéraire : tel l'article de Maxime Reymond sur les vieux comptes de Payerne [4], celui de Fr. Barbey sur ceux de la ville d'Orbe [5], tel surtout l'important ouvrage de Ch.

[1] E. Chavannes, *Extraits des manuaux du Conseil de Lausanne* (1383 à 1511), in *Mémoires et Documents* publiés par la Société d'histoire de la Suisse romande, t. XXXV, Lausanne 1881, pp. 168, 183, 186-187.

[2] Ph. Godet, *Histoire littéraire de la Suisse française*, Neuchâtel et Paris, 1890, pp. 28-29.

[3] V. Rossel, *Histoire littéraire de la Suisse romande*, Neuchâtel, 1903 p. 45. Cf. V. Rossel et H.-E. Jenny, *Histoire de la littérature suisse*, Lausanne et Berne, 1910, p. 78.

[4] M. Reymond, *A travers les vieux comptes de Payerne*, extrait du *Journal de Payerne*, sans date, pp. 7 et 10. Cf., du même auteur, *L'abbaye de Payerne*, in *Revue historique vaudoise*, 21e année (1913), p. 101.

[5] F. Barbey, *Orbe sous les sires de Montbéliard et de Chalon, d'après les comptes inédits de la ville*, in *Revue historique vaudoise*, 20e année (1912), pp. 43-46.

Gilliard sur Moudon[1]. Et, dernièrement, Maxime Reymond, étudiant les *Ecoles et bibliothèques du Pays de Vaud au moyen âge*, a consacré un chapitre aux « mystères »[2], ou plus exactement aux diverses pièces — mystères, miracles et moralités — mentionnées dans des travaux antérieurs, ou qui lui étaient connues par ailleurs.

C'est ainsi — pour résumer brièvement ce que nous savons déjà — qu'il résulte des recherches faites par Chavannes qu'en 1406, à l'occasion de la venue à Lausanne de Marie de Bourgogne, comtesse de Savoie, le Conseil fit jouer une pièce de théâtre, pour laquelle on paya trois livres à maître Léon, recteur des écoles, « pro personagiis factis ». Le 30 mars 1427, des amateurs « luserunt ludum *Disputacionis Corporis et Anime* »[3] ; en 1438, un certain Jean Piaget fut le régisseur, le « gubernator ystorie facte in platea Paludis » ; en 1440, lors de la réception d'Amédée VIII de Savoie — qui venait d'être élu pape — et d'autres grands personnages, on joua, malgré la peste qui régnait, une moralité à personnages. En 1453, le même Jean Piaget dirigea la représentation d'une *Passion,* et peut-être aussi un *Miracle de Sainte Suzanne*[4], joué le 10 août 1460. L'année suivante, la ville assista à la *Creatio Ade,* le 3 mai, et le 3 juillet, sur la place de la Palud, on joua l'« ystoriam Status Mundi »[5], en l'honneur de

---

[1] Ch. Gilliard et R. de Cérenville, *Moudon sous le régime savoyard,* in *Mémoires et Documents* publiés par la Société d'histoire de la Suisse romande, 2e série, t. XIV, Lausanne 1929, p. 492.

[2] M. Reymond, *Ecoles et bibliothèques du Pays de Vaud au moyen âge,* in *Revue d'histoire ecclésiastique suisse,* 29e année (1935), pp. 207-210.

[3] L. Petit de Julleville, *Répertoire du théâtre comique en France au moyen âge,* Paris, 1886, p. 300, donne comme perdu un *Débat du Corps et de l'Ame* joué à Amiens en 1489. Il est vrai que Viollet Le Duc, *Ancien théâtre françois,* t. III, pp. 325-336, a publié une pièce ainsi intitulée, mais elle n'est nullement dramatique, et n'a certainement jamais été jouée.

[4] L. Petit de Julleville, *Les Mystères,* t. II, Paris, 1880, p. 184, mentionne des représentations d'un miracle de *Sainte Suzanne* — qui peut-être n'est pas identique au nôtre — en 1470 à Chambéry, en 1512 à Montélimar, en 1518 à Forcalquier et en 1550 à Vitray-en-Beauce.

[5] On ne connaît pas de moralité de ce nom. P. Meyer, *Mélange de poésie anglo-normande,* in *Romania,* 4e année (1875), pp. 385-395, a publié un fragment d'un poème satirique intitulé les *Etats du monde,* et remarque que « les poésies ayant cet objet [de persifler les divers états de la société] sont nombreuses. Toutes offrent à peu près le même plan, passant en revue, selon un ordre qui ne varie pas essentiellement, le pape, la cour de Rome, le clergé régulier et séculier, les chevaliers, les bourgeois, les marchands, les vilains », et qu'il faut ranger ici entre autres le *Dit de l'Etat du Monde* de Rutebeuf, et celui des *Etats du Monde* de Jean de Condé, qui a d'ailleurs plus le caractère d'un enseignement que celui d'une satire. Il se pourrait que notre pièce n'ait été que la mise en œuvre dramatique du contenu de ces pièces lyriques.

l'évêque Georges de Saluces. En 1488, dit Chavannes, « l'élection du conseil fut renvoyée d'une semaine, parce que le jour ordinaire de l'élection on joua un mystère dans le cimetière de la cathédrale ». Le 5 septembre 1490, furent représentées « historias quasdam in vico Paludis » et, le 13 août 1507 enfin, on dressa sur le cimetière une scène « pro quodam ludo moralizato inibi ludendo ».

Pour Moudon, Ch. Gilliard a signalé trois représentations de la *Passion,* les 21 et 22 mars et 9 avril 1480, *Passion* qui devait être assez importante, puisqu'elle ne demandait pas moins de cinquante-sept figurants ; un mystère de *Saint Etienne* [1], patron de l'église de l'endroit, joué le 5 septembre 1507 ; un mystère de Lazare [2], représenté en 1526. Suit de nouveau une *Passion,* les 2 et 10 avril 1531, et, le 27 août de la même année, une moralité intitulée *Loz poure commung* [3]. Comme le note Gilliard, ces représentations étaient données par « des amateurs de l'endroit, des jeunes gens dressés par le maître d'école ou quelque ecclésiastique »; mais il y avait aussi parfois des artistes ambulants qui s'installaient à quelque carrefour, et qui recevaient, en plus du prix des places payé par le public, un cadeau du conseil : celui-ci accorda trois florins aux « dominis lusoribus » qui jouèrent un miracle devant la maison du seigneur de Lullin, le 2 septembre 1526 ; six florins aux deux comédiens qui « luserunt historiam » le 31 août 1533, et sept florins, le 18 septembre 1533, à ceux qui représentèrent une pièce intitulée *Deser ardant* [4].

Pour Villeneuve, Reymond a trouvé dans les comptes communaux la mention d'une *Passion* jouée dans l'église paroissiale même,

[1] L. Petit de Julleville, *Les Mystères,* t. II, p. 182, signale des représentations de mystères relatifs à ce saint en 1446 à Orléans et en 1509 à Laval. Un *Martyre de saint Etienne* a été publié par A. Jubinal, *Mystères inédits du XVe siècle,* t. I, pp. 9-24, et par E. Fournier, *Théâtre français avant la Renaissance,* pp. 2-6.

[2] Le thème de la résurrection de Lazare a été, on le sait, représenté très tôt et rattaché au cycle de Pâques. Ce sujet a dû garder une certaine vogue, puisque Petit de Julleville, op. cit., t. II, p. 183, note qu'un mystère de Lazare a été joué à Chartres en 1491.

[3] L. Petit de Julleville, *Répertoire du théâtre comique...,* p. 96, mentionne une moralité intitulée *Pauvre peuple, Bon Renom, Plusieurs, Envie, Flatterie, Raison et Honneur,* connue par un unique manuscrit. Par ailleurs, p. 310, il note qu'une moralité en provençal, *Poble commun,* fut représentée à Die (Drôme) en 1493. Il n'est pas impossible que la pièce jouée à Moudon ait été une sottie à tendances politiques.

[4] Une pièce de ce nom est inconnue jusqu'ici au répertoire du théâtre médiéval.

en 1518, et d'un miracle de *saint Paul* [1], en 1466 [2]. Ce même érudit
signale la représentation, à Payerne, de miracles de *saint Nicolas* [3]
en 1517, et de « rimas et farsas » le jour de la Trinité de l'année
1526, à l'occasion de la réception d'ambassadeurs confédérés.

Le dépouillement des comptes de bon nombre de petites villes
vaudoises me permet d'ajouter quelques nouveaux faits à ceux qui
viennent d'être énumérés, et de compléter en particulier les mentions
relatives aux représentations théâtrales qui eurent lieu à Orbe, et
dont a parlé Barbey et après lui Reymond. Les comptes de 1459
déjà signalent une dépense de dix sols « fait chiez... Pierre [Saget]
par ceux qui firent les fictions le jour de la Feste Dieu » : ces « fictions » devaient être sans doute une pièce de théâtre religieux jouée
ce jour-là, dans des circonstances que nous allons voir. Le jour de
Carnaval 1463 — ces deux représentations sont connues de Barbey [4]
— le conseil accorda six deniers « ou maistre de l'escole et a certains
aultres clercs qui juarent la farce en la place » ; l'an d'après, le
28 mai, les mêmes auteurs donnèrent une « ystoire » ayant trait
peut-être au saint du jour, saint Germain, et, trois jours plus tard,
comme l'année précédente, le jour de la Fête-Dieu « plusieurs com-
pagnyons, tant clercs come aultres de la ville... joyarent en ficion le
dict jour quant l'on pourtoyt la procession la *Passion Nostre-Sei-
gneur* ». C'était donc, si bizarre que cela puisse paraître, la *Passion*
qui était jouée lors de la Fête-Dieu. L'indication que cette représentation se faisait lors de la procession laisserait peut-être supposer
qu'elle avait lieu, non sur une scène immobile, mais sur un char faisant partie lui-même du cortège [5]. Le dimanche 15 février 1467, la
ville accorda de nouveau une récompense de huit sols à « maistre
Hugoz Floreti, pour boire ensemble ceux qui firent l'ystoire » : il est
possible que ce personnage, comme le suppose Reymond, soit l'auteur
de cette pièce dont nous ne possédons pas le titre, et qu'il ait occupé
les fonctions de maître d'école. Ce qu'il y a de certain, c'est que la
même année, il reçut une nouvelle gratification « pour la peinaz qui

---

[1] Selon Petit de Julleville, *Les Mystères,* t. II, p. 184, un mystère des *Saints
Pierre et Paul* a été représenté à Compiègne en 1451.

[2] M. Reymond, art. cit., pp. 208 et 209.

[3] L. Petit de Julleville, op. cit., t. II, p. 148, mentionne des représentations de
mystères de *Saint Nicolas* à St-Nicolas-du-Port en 1478, Nancy en 1496, Béthune
en 1503, Metz en 1513.

[4] F. Barbey, art. cit., p. 43.

[5] Sur ces représentations sur chars, qui n'étaient pas rares dans le nord de la
France, cf. G. Cohen, *Histoire de la mise en scène dans le théâtre religieux du
moyen âge,* nouv. éd., Paris, 1926, pp. XVI et 68.

à euz de la *Passion* » et que, sur cette *Passion*, les comptes de la ville, partiellement publiés par Barbey, donnent de nombreux détails. Nous savons en effet que les charpentiers de l'endroit érigèrent une grande croix et un sépulcre, devant lesquels jouaient les acteurs, et des « loges » soit des tribunes pour les spectateurs : ces tribunes étaient garnies de draperies et de rideaux, ce qui obligea la ville, la veille de la représentation, à les faire garder par quatre hommes. — Quelques années plus tard, en 1473, le maître d'école organisa une nouvelle représentation, celle de la « moralité — nous dirions plutôt miracle ou mystère — de *Sant Jehan l'Ermite* [1], « la dimenche avant feste sant Gaul », soit le 10 octobre, qui ne demanda pas moins de vingt-deux personnages. En 1476, nouveau cadeau de six sols à ceux « qui firent les estueres » le jour de la Fête-Dieu, 13 juin. En 1489 on régla chez Jaque Barbe « ceux qui joyrent une moralité la dimenche aprest fest sant George », soit le 26 avril. En 1496, les acteurs « quil joyrent une moralité d'un miracle de Nostre Dame » reçurent une gratification de neuf sols ; en 1480 eut lieu la représentation de « la moralité de *Adam et de Evez* la dimenche avant feste Translacion sant Nicolas » (7 mai), et en 1497 celle du « Mistere de Dieu », c'est-à-dire de la *Passion* et de la *Résurrection,* comme le précisent les comptes : de nouveau, on dressa une croix flanquée cette fois de deux autres pour les deux larrons, et on construisit un sépulcre. Le rôle du Christ était tenu par maître Anthoine Houlard, chantre. Ce même compte mentionne encore une « gorge d'enfer » pour laquelle le trésorier déboursa trente sols : il s'agit peut-être d'une excavation, creusée sur la place où avait lieu la représentation, d'où sortaient les diables et où descendait le Christ, après sa mort, pour délivrer les justes. En 1506 nous trouvons un écho de l'habituelle représentation de la Fête-Dieu ; en 1508, le dimanche avant la Saint-Laurent, soit le 6 août, des « joyeulx... jouèrent le jeu de la *Nativité Nostre Seigneur* » ; en 1526, le jour de la Pentecôte (20 mai), des membres du clergé représentèrent un « jeu » qui leur mérita un régal de quatre pots de vin, et en 1529 enfin, le dimanche après la Fête-Dieu, c'est-à-dire le 30 mai, on joua « une belle moralité ».

A Aubonne, nous trouvons la mention en 1528 du même « *lusum de Desier ardens* », que nous avons déjà rencontré à Moudon : c'était, semble-t-il, une pièce accompagnée de musique, puisqu'on envoya à cette occasion un messager à Lausanne, chargé d'y chercher

---

[1] Quel était ce saint ? S'agirait-il de saint Jean Gualbert, fondateur de l'ordre de la Vallombreuse, ermite aux Camaldules et à la Vallombreuse, mort en 1703 ? Tout bien pesé, je pense qu'il s'agit de saint Jean Baptiste.

des orgues [1]. Le 15 août, à l'occasion de la fête de l'Assomption, le charpentier Petrus Bellosaz construisit une scène « pro ludendo extoriam » [2] ; quelques jours auparavant, on avait accordé un subside de trente sols aux acteurs « pro libris fiendis », c'est-à-dire sans doute pour copier leurs rôles [3]. L'année 1531, des miracles furent joués le jour de l'Annonciation [4] et, en 1533 enfin, il semble qu'une représentation analogue ait eu lieu lors de la même fête, puisque, peu après, le conseil fit délivrer une gratification de cinq florins « lusoribus istorie » ; et, le jour de Pâques, les comptes mentionnent un cadeau semblable fait à d'autres « lusoribus qui luserunt ystoriam » [5].

Pour Grandson, les comptes de 1432 déjà on conservé le souvenir d'une dépense de dix-huit sols, payés à « monsy Piere, abbes, et monsy Alisandre, chappellain, qui ont dicté la *Passion* le chautens [été] passé ». En 1507, on joua une *Nativité*, et, à l'occasion sans doute de l'Epiphanie, en 1508, une « moralité — soit un *Jeu* — *des Rois* », pour lesquels les acteurs reçurent quatre florins. Et en 1522, les « enfants de la ville... firent le mistere de la *Passion* » : on les en récompensa en leur offrant un dîner.

La plus ancienne mention d'une représentation théâtrale à Yverdon a été recueillie, à ma connaissance, par Crottet, qui signale pour l'année 1481 une dépense de quatre livres et seize sols effectuée par les personnes qui, le Vendredi-saint, représentèrent la *Passion* et, le lundi de Pâques, la *Résurrection* [6]. En 1514, le dimanche avant la Saint-Maurice, quelques chapelains d'Estavayer assistèrent à la représentation d'une « ystoria » [7] et, en 1521, le dimanche après l'Assomption, soit le 18 août, on joua un « ludum sancti Jobi » [8] auquel les comptes consacrent plusieurs articles. C'est pour cela que nous savons que cette représentation était annoncée par des jets de fusées et des

[1] Archives d'Aubonne, Comptes communaux 1527-1528, non foliotés.
[2] Id., ibid.
[3] Id., Manual du Conseil, fo 14.
[4] Id., Manual du Conseil, fo 18, et Comptes communaux, fo 21.
[5] Id., Manual du Conseil, fo 29, et Comptes communaux, fo 41.
[6] A. Crottet, *Histoire et annales de la ville d'Yverdon*, Genève, 1859, p. 246.
[7] Archives d'Yverdon, Comptes du clergé pour 1514, non foliotés.
[8] L. Petit de Julleville, *Les Mystères*, t. II, p. 182, signale des représentations de mystères de *Job* à Metz en 1514, à Nancy en 1533, à Draguignan en 1534, à Limoges en 1540 et à Rouen en 1556. G. Cohen, op. cit., p. XXXIV, donne quelques détails sur une *Ystoire de Job* jouée à Barjols (Var) en 1551. Nous connaissons le texte d'un *Mystère de Job* faisant suite au *Vieux Testament,* mais pouvant se jouer à part, et une autre pièce, portant le même titre, bien qu'absolument distincte de la précédente (cf. L. Petit de Julleville, op. cit., t. II, pp. 370 et 377-378).

coups de canon, et qu'on régala aux frais de la ville les notabilités des environs qui assistèrent à la pièce : le seigneur de la Sarraz, le seigneur de Diesbach de Berne, le seigneur de Biolex-Magnoux et le bailli d'Echallens, ainsi que d'autres seigneurs et dames qui occupaient une tribune adossée à la maison de Stephanus Pictoloz. Il y eut une autre représentation encore, le jour de la fête des saints Roch et Théodule (16 août) : les spectateurs qui n'entendaient pas délier les cordons de leur bourse assistèrent au jeu en grimpant sur les toits voisins, qu'il fallut réparer aux frais de la ville [1]. En 1534 enfin, on construisit de nouveau des tribunes, « pro nobilibus et aliis qui volebant videre lusores *ludi Magdalene* » [2].

Pour Lutry, je n'ai trouvé que la mention, en 1530, de la représentation d'une « ystoery » dont le titre n'est pas indiqué [3]. Pour Vevey, par contre, les comptes ont conservé les traces d'un certain nombre de pièces théâtrales : en juin 1516, on joua une moralité ; en 1523, les représentations furent particulièrement nombreuses, puisque le conseil fit cadeau « lusoribus qui luserunt *ystoriam Imperatorum* » [4], « lusoribus qui luserunt *ystoriam Sancte Susanne* » [5], et « aliis qui luserunt ystoriam *Pueri prodige* » [6]. En 1526, la veille de la Pentecôte (19 mai), on joua une « historiam moralem » et, en 1532, le Vendredi-saint, soit le 29 mars, la *Passion*.

*   *   *

On pourrait, à en juger d'après les indications qui précèdent, s'imaginer que les petites villes vaudoises, en cette fin du moyen âge, n'assistaient guère qu'à des représentations de pièces religieuses,

---

[1] Archives d'Yverdon, Comptes de la ville 1521-1522, non foliotés.

[2] Id., Comptes de la ville 1533-1534, non foliotés. Petit de Julleville, op. cit., t. II, pp. 183 et 644, mentionne des représentations de mystères de *Marie-Magdeleine* en 1460 à Cambrai, en 1500 à Lyon, en 1530 à Montélimar, en 1534 à Auriol et en 1600 à Grasse. Dans le même volume, pp. 533-535, il résume un mystère de ce nom, dont il existe une édition de 1605, rééditée dans la *Bibliothèque du théâtre français*, t. I, p. 19 sq. ; mais ce mystère serait sensiblement antérieur à cette date de 1605.

[3] Archives de Lutry, Comptes communaux pour 1530, fo XXVIII.

[4] Ce titre est trop vague pour qu'on puisse tenter une identification. Il existe en tout cas plusieurs moralités mettant en scène un empereur.

[5] C'est peut-être la même pièce que celle jouée à Lausanne en 1460.

[6] L. Petit de Julleville, *Répertoire du théâtre comique...*, p. 57, parle d'une moralité de l'*Enfant prodigue* connue par plusieurs anciennes éditions, et jouée à Laval en 1504, à Béthune en 1532 et en 1563, à Cadillac-sur-Garonne vers 1538, à Limoges en 1539 et à Auriol (Bouches-du-Rhône) en 1580.

Passion ou miracles de saints, les moralités représentant le genre le plus osé. Les mentions de pièces comiques sont en effet plus que rares, puisqu'on ne peut guère faire rentrer dans cette catégorie qu'une farce jouée à Orbe en 1462, et les « rimas et farsas » de Payerne en 1526. Mais c'est tout simplement que les comptes communaux, si incomplets déjà par eux-mêmes — de beaucoup de ces représentations, nous n'aurions pas la moindre trace, s'il n'avait fallu payer le charpentier qui avait travaillé aux estrades, ou l'aubergiste chez qui on avait régalé les artistes amateurs — ne mentionnent précisément que les représentations ayant entraîné quelques frais pour la ville. Ceux auxquels on accordait un subside ou une gratification étaient la plupart du temps des écoliers, ou des membres du clergé, ou des amateurs de l'endroit ; et le motif pour lequel on les récompensait, c'était parce qu'ils avaient fait œuvre morale et digne de louange, en rehaussant, par une représentation théâtrale, la solennité d'une fête religieuse, ou que, beaucoup plus rarement, leur activité scénique avant permis d'agrémenter la réception d'étrangers de marque. C'est dire que, sauf ce cas exceptionnel, les pièces comiques n'avaient aucune raison d'être soutenues et subsidiées par les autorités locales, et que, en conséquence, nous n'avons aucune chance d'en retrouver jamais, si ce n'est par hasard, la moindre mention dans les comptes d'un trésorier de petite ville.

Et pourtant, des pièces comiques devaient sans doute être fréquemment représentées dans le Pays de Vaud, comme en France. Ainsi que l'a justement remarqué Petit de Julleville, « pendant deux siècles en France, on a joué la comédie partout ; et certainement nous ne connaîtrons jamais la centième partie des représentations de ce genre, qui ont été données dans les villes grandes ou petites, et jusque dans les moindres bourgs ; sur les places publiques ou dans les maisons particulières ; au sein des corporations joyeuses, dans les Pays ou dans les collèges. Il était bien plus facile de jouer une farce ou une sotie qu'un mystère ; la plupart des représentations comiques n'exigeaient ni longs frais ni grands préparatifs ni costumes luxueux, ni mises en scène compliquées, ni vaste théâtre. Il n'est pas étonnant qu'il n'en soit demeuré, le plus souvent, aucun vestige »[1]. Pour nous, le nombre des représentations dont nous n'avons pas le moindre souvenir, l'activité théâtrale dont frémissaient nos petites villes, nous pouvons en avoir une vague idée, un pressentiment, grâce à une trouvaille qu'il m'a été donné de faire aux Archives de l'Etat de

---

[1] L. Petit de Julleville, *Répertoire du théâtre comique...*, p. 322.

Fribourg, et dont j'ai parlé dans les deux études qui précèdent. Tandis que pour Vevey les seules indications relatives au théâtre nous font connaître, ainsi que nous l'avons vu plus haut, les titres de trois pièces à caractère religieux, plus la représentation d'une « moralité » en 1516, le hasard a voulu que je retrouve des fragments de farces, appartenant à cinq pièces différentes, écrites en patois de Vevey [1], plus trois farces en français, une manuscrite et les deux autres imprimées — l'une est complète, et de chacune des deux autres il ne manque que le premier feuillet [2] —, plus encore deux fragments [3], l'un imprimé et l'autre manuscrit, d'une moralité que Mlle Droz a cru pouvoir identifier avec la moralité des *Enfants perdus* [4], trois fragments de la *Présentation des joyaux* [5], et quatre feuillets, appartenant à deux rôles différents, d'un *Jeu des Rois* [6].

Sans doute n'est-il pas certain que toutes ces pièces aient été présentées à Vevey : la farce de *Jehan qui de tout se mesle*, le dialogue de *Gautier et Martin* — le modèle du genre, à n'en pas douter — ne sont représentés que par des imprimés, tout d'abord ; et, par ailleurs, Petit de Julleville, en parlant d'un dialogue semblable au nôtre, celui de *Messieurs de Mallepaye et de Baillevent*, s'est déjà demandé s'il avait été vraiment composé pour la scène, et représenté, car « le grand nombre et l'obscurité des allusions, l'excessive rapidité du dialogue, l'absence de tout jeu de scène et de toute action, donnent à penser qu'une pièce aussi difficilement intelligible n'a jamais pu être

---

[1] Elles ont été publiées sous un titre que j'ai renié depuis longtemps, celui de *Quelques textes du XVIe siècle en patois fribourgeois,* in *Archivum romanicum,* vol. IV (1920), pp. 342-361, et vol. VII (1923), pp. 288-336.

[2] *Trois farces inédites trouvées à Fribourg,* in *Revue du XVIe siècle,* vol. XI (1924), pp. 129-192.

[3] *Fragments de moralités, farces et mystères retrouvés à Fribourg,* in *Romania,* t. LI (1925), pp. 513-518.

[4] En publiant ce qui reste de cette pièce, je l'avais intitulée *Moralité à six* (?) *personnages,* et j'avais noté qu'elle paraissait totalement inconnue. Mlle E. Droz, *Le Recueil Trepperel ; les Sotties,* Paris 1935, p. XLIV, a cru pouvoir l'identifier avec la moralité des *Enfants perdus,* mais cette opinion me semble infondée. Sans doute Petit de Julleville, *Répertoire du théâtre comique...,* pp. 300 et 373, mentionne-t-il une moralité perdue, jouée à Montélimar en 1529, intitulée les *Enfants perdus,* mais nous n'avons aucun indice sur le contenu de cette pièce, et son titre même ne me paraît pas correspondre au sujet traité dans la moralité que j'ai retrouvée et qui met en scène une princesse égarée dans une forêt, et recueillie par un ermite qui tente d'abuser d'elle. Par contre, l'allusion de Guillaume Alexis recueillie par Mlle Droz doit sans doute se rapporter à mon texte, qui serait bien, en conséquence, antérieur à 1460.

[5] *Fragments de moralités...,* pp. 518-521.

[6] *Fragments de moralités...,* pp. 521-527.

jouée » [1]. Pour la farce de *Janot* également, la même question peut se poser, puisque cette farce nous a été conservée en entier, sauf le premier feuillet, et qu'on ne peut guère être assuré qu'une pièce a été représentée que si nous en possédons, non point le texte imprimé ou manuscrit complet, mais les rôles séparés, copiés sur de longs feuillets de papier joints bout à bout, les « rollets » que les acteurs déroulaient sur leurs doigts, en un temps où le souffleur était inconnu. Mais c'est là précisément l'état dans lequel se présentent la plupart de nos fragments : c'est celui de toutes les pièces patoises, celui aussi de la *Présentation des joyaux* et du *Jeu des Rois*. Par ailleurs, nous avons des indices qui nous permettent de croire que d'autres de ces débris ont appartenu à un amateur de théâtre qui n'a pas été qu'un lecteur et qu'un bibliophile, mais surtout un organisateur de représentation et peut-être un acteur lui-même : de la *Moralité à six* (?) *personnages,* en effet, nous n'avons pas qu'un fragment imprimé, mais aussi un morceau manuscrit, représentant une partie du rôle principal, ce qui signifie que notre amateur-régisseur s'était servi du texte imprimé qu'il possédait pour recopier les différents rôles séparément, en vue sans aucun doute d'une représentation. Ajoutons encore que le manuscrit de la farce de *Janot* a cette forme caractéristique, la forme oblongue, des manuscrits des régisseurs, des « meneurs du jeu » : il n'est pas trop osé, en conséquence, de penser que ce manuscrit était destiné, plutôt qu'à la simple lecture, à la direction de la représentation de cette farce.

Notre amateur de théâtre et régisseur n'est plus un anonyme : je crois avoir montré [2] qu'il s'agissait d'un notaire veveysan, maître Anselme Cucuat, originaire de Cluses en Faucigny, établi à Vevey dès avant 1512, bourgeois de la ville en 1520 déjà, et décédé avant le 4 juin 1566 ; et son activité littéraire, telle au moins qu'elle nous est attestée par les fragments retrouvés, doit se placer aux alentours de 1520 [3]. Activité littéraire d'une originalité relative, du reste, car Cucuat a dû être plus imprésario, remanieur et traducteur de textes dramatiques et comiques, qu'auteur ayant produit des œuvres originales, même de peu d'envergure. Que sa farce de la *Fontaine de Jouvence* ne soit qu'une traduction de la farce française de ce nom,

---

[1] L. Petit de Julleville, *Répertoire du théâtre comique...*, p. 174.

[2] *L'auteur probable des farces en franco-provençal jouées à Vevey vers 1520,* *Archivum romanicum,* vol. XVII (1933), pp. 83-92, article reproduit plus haut.

[3] *Le lieu d'origine et la date des fragments de farces en franco-provençal,* *Archivum romanicum,* vol. XV (1931), pp. 512-540. Cette étude figure également dans le présent recueil.

c'est ce qui n'a pas besoin de démonstration, puisque le texte de cette dernière a été conservé [1], et qu'il saute aux yeux que ce n'est pas le texte en patois de Vevey qui a servi de base au texte français. Mais la farce du *Marchand de volaille* est, elle aussi, une comédie bilingue, le Marchand parlant seul patois, tandis que les deux chalands qui se présentent comme des gentilshommes, s'expriment en français : il n'est dès lors pas invraisemblable que, du texte original, Cucuat n'ait traduit en patois que le rôle du marchand. Quant à la farce de *Martin changé en âne,* dont nous n'avons qu'un fragment du rôle de Martin, si nous ne possédons pas son correspondant français exact, il n'en est pas moins vrai que la donnée générale de la pièce est identique à celle de la farce du *Fol, du Mari, de la Femme et du Curé,* que j'ai publiée d'après le manuscrit d'origine avignonaise, aujourd'hui à la Bibliothèque Laurentienne de Florence [2], et qui appartenait au répertoire d'une troupe d'amateurs qui divertit le public comtadin aux alentours de 1470. J'avais supposé que le thème de ces deux pièces, l'histoire d'un mari métamorphosé en âne par sa femme qui le trompe et le bafoue, appartenait peut-être au folklore de la vallée moyenne et inférieure du Rhône et que ç'aurait été par l'intermédiaire de Lyon qu'il serait arrivé à la connaissance de Cucuat: mais l'existence, signalée par Mlle Droz, dans un recueil inconnu jusqu'ici et encore inédit, d'une farce intitulée *Farce a troys personnages,* c'est assavoir : *Martin de Cambray, Guillemette sa femme et le curé* [3], montre que cette pièce a été connue ailleurs en France.

De sorte qu'il ne reste que la farce de *Tot jor dehet* et celle du *Valet qui vole son maître* qui puisse être du cru d'Anselme Cucuat. Si les fragments de cette dernière pièce, plus incomplets et plus maltraités que les autres, ne fournissent pas à la vérité d'indice sûr de la

---

[1] Il a été publié d'abord par E. Picot, *Farce inédite du XVIe siècle, publiée d'après un manuscrit des Archives de la Nièvre,* in *Bulletin du Bibliophile,* 1900, pp. 273-284. Je l'ai reproduit moi-même en regard du texte patois, en indiquant en note les variantes du rôle de la Femme — qui s'exprimait en français dans la version Cucuat, ainsi sans doute que le Peintre — retrouvées en même temps que les fragments patois. Le bibliophile P. Champion, devenu le possesseur du manuscrit édité par Picot, l'a republié, le croyant inédit, dans une étude intitulée *La farce du Vieillard, de la Femme et du Peintre ou la Fontaine de Jouvence,* in *Mélanges de linguistique et de littérature offerts à M. Alfred Jeanroy,* Paris 1928, pp. 603-610.

[2] *Moralités et farces des manuscrits Laurenziana-Ashburham n°s 115 et 116,* in *Archivum romanicum,* vol. XIII (1929), pp. 501-515.

[3] E. Droz, op. cit., p. LIX.

provenance française de la farce, ils ne sont pas non plus écrits en un patois si pur qu'il ne puisse être du français traduit presque mot à mot : et cette remarque est valable aussi pour *Tot jor dehet,* dont le sujet par ailleurs s'apparente à certaines moralités comme les *Enfants de maintenant,* et même *Bien Avisé, Mal Avisé,* ainsi que l'*Homme juste et l'Homme mondain* et l'*Homme pécheur.*

Au surplus, à supposer que le *Valet qui vole son maître* ait été l'œuvre de Cucuat, le thème même qu'il y a développé ne semble rien avoir de bien neuf, puisque, pour autant qu'on puisse reconstituer notre pièce patoise, il paraît bien qu'il met en scène un valet malhonnête qui, profitant de la cécité de son patron, ou du fait qu'il se trouve au plus profond d'une forêt, feint une attaque de brigands et en profite pour s'emparer de l'escarcelle du pauvre mendiant : or c'est là, en gros tout au moins, le fond de l'histoire du *Garçon et de l'aveugle,* jeu que l'on attribue au XIIIe siècle [1].

En bref, si les productions patoises d'Anselme Cucuat présentent un intérêt incontestable pour l'histoire locale et plus encore pour la dialectologie, on ne peut pas dire qu'en ce qui concerne l'histoire du théâtre français elles apportent des matériaux d'une réelle valeur. Mais il n'en est pas de même d'autres éléments provenant de ce que l'on pourrait appeler sa bibliothèque, éléments tant manuscrits qu'imprimés que je vais brièvement signaler.

La *Farce de Jehan qui de tout se mesle* [2], qui nous est parvenue en un texte presque complet — il n'y manque en effet qu'une ligne en haut de chacune des pages 3, 4, 5 et 6 — se rattache par son sujet à une série de farces, qui tiennent d'ailleurs plus de la parade que de la comédie, et qui trouvaient leur cadre et leur inspiration dans les mœurs et les habitudes d'un métier, d'un petit négoce. Il n'en reste guère qu'un autre représentant, la *Farce du marchand de pommes* [3], plus un autre, la *Farce du marchand de volaille et des deux voleurs* que nous ne connaissons que par la traduction en patois de Vevey qu'en a donnée Cucuat [4] : mais ce genre a sans doute dû être bien représenté. Néanmoins, jouée avec brio, cette farce devait

---

[1] Voir *Le Garçon et l'aveugle, jeu du XIIIe siècle,* 2e éd. revue, par Mario Roques, in *Les Classiques français du moyen âge,* 5, Paris, 1921, VII + 18 pages.

[2] Je l'ai publiée dans *Trois farces françaises inédites trouvées à Fribourg,* in *Revue du XVIe siècle,* XI (1924), pp. 131-140.

[3] Le Roux de Lincy et Francisque Michel, *Recueil de farces, moralités et sermons joyeux publiés d'après le manuscrit de la bibliothèque royale,* Paris, 1837, vol. IV. IIe pièce. Voir L. Petit de Julleville, *Répertoire du théâtre comique en France au moyen âge,* Paris, 1886, p. 161.

[4] Publiée in *Archivum romanicum,* vol. VII (1923), pp. 316-330.

être amusante, au moins pour le public auquel elle s'adressait. C'est l'histoire d'un mari, Jehan, qui malgré l'avis de sa femme, consent à remplacer son voisin Aultruy, appelé au tribunal, dans la boutique de ce dernier. Les chalands arrivent, l'un pour se faire raser, l'autre pour faire cuire un gâteau, d'autres encore pour acheter des chandelles, de la moutarde, de la cervoise. Si bien que le pauvre Jehan ne sait où donner de la tête. Aultruy revient et offre à Jehan de lui payer ses services en lui donnant une robe : mais le vêtement est en si mauvais état que Jehan préfère ne rien recevoir. Il rentre donc chez lui, où sa femme le sermonne d'importance.

Le *Dialogue de Gautier et Martin* [1] devait en son état primitif avoir douze feuillets, mais le premier a disparu, de sorte que le début de la pièce nous manque, ainsi que quelques lignes en haut de certaines pages. C'est, je pense, le chef-d'œuvre du dialogue, genre d'ailleurs assez peu représenté dans le répertoire comique de la fin du moyen âge [2]. Les répliques, en effet, y sont plus vives que dans la pièce *Messieurs de Mallepaye et de Baillevant* [3], la forme en est encore plus soignée, plus aisée, plus brillante. Il existe d'ailleurs une incontestable parenté entre les deux dialogues, puisqu'il s'agit d'« une satire dirigée contre les aventuriers du XVe siècle, contre les chevaliers d'industrie qui ont la mine haute et la bourse plate ». Mais tandis que Messieurs de Mallepaye et de Baillevant sont des nobles déchus, Gautier et Martin, eux, sont des aventuriers au fond assez fiers de l'être, et qui se racontent leurs derniers exploits dans une langue où le jargon entre pour une certaine part : ils passent rapidement sur les risques de leur métier, pour s'étendre avec plus de complaisance sur les bons côtés de la vie qu'ils mènent et sur le peu de soucis qu'ils ont ; ils se moquent des nobles besogneux, genre Mallepaye et Baillevant qui, voulant à tout prix paraître, cachent leurs guenilles sous de beaux manteaux. Pour eux, ils sont contents d'être « gallans sans argent », assurés qu'ils sont de trouver un hôpital à la fin de leur vie. — A propos du dialogue de *Messieurs de Mallepaye et de Baillevant*, Petit de Julleville [4] s'est demandé si vraiment il avait été composé pour la scène. « Le grand nombre et

---

[1] Publié dans *Trois farces françaises...*, pp. 161-192.

[2] Voir E. Picot et Chr. Nyrop, *Nouveau recueil de farces françaises des XVe et XVIe siècles*, Paris, 1880, p. XXXIX.

[3] E. Fournier, *Le théâtre français avant la Renaissance*, Paris 1872, p. 133 sqq. Ce dialogue a été très souvent imprimé dans les œuvres de Villon, auquel on l'a attribué.

[4] Petit de Julleville, op. cit., p. 176.

l'obscurité des allusions — ajoute-t-il —, l'excessive rapidité du dialogue, l'absence de tout jeu de scène et de toute action, donnent à penser qu'une pièce aussi difficilement intelligible n'a jamais pu être jouée. » Toutes ces caractéristiques, inutile de le dire, se retrouvent dans notre dialogue : et l'on peut y ajouter encore la présence du jargon. Mais ce détail même ne devait être, dans l'idée de l'auteur, qu'un moyen de rendre son œuvre plus amusante en faisant vrai : les termes argotiques devaient du reste être compris de tous, et on les rencontre pour la plupart dans Villon. Contrairement donc à Petit de Julleville, je penserais que ces dialogues étaient bien joués sur la scène : la représentation seule, me semble-t-il, pouvait exactement mettre en valeur leurs qualités, rapidité extrême du dialogue, cliquetis des sons, esprit et musique de l'ensemble — esprit et musique verbale qui par ailleurs supposait un public presque raffiné, des connaisseurs en un mot, pour qu'ils pussent être appréciés. Et je verrais volontiers dans ces dialogues des pièces brillantes destinées à introduire un spectacle.

De la *Farce à cinq personnages, Janot, Janette, l'Amoureux, le Fol, le Sot* [1], il ne nous reste qu'un cahier composé de trois feuillets doubles. Le feuillet 6 verso contenant l'explicit, on peut déduire de ce détail qu'il ne manque à notre manuscrit qu'un quatrième feuillet double, dont la première moitié donnait le titre de la farce et le début du texte, alors que la seconde qui constituait le dernier folio du cahier complet, n'aurait servi que de feuillet de garde. L'écriture, du milieu du XVe siècle, est nette ; mais quelques vers ou fragments de vers ont disparu, soit que l'encre n'ait pas laissé de traces, soit que le papier se soit usé par le frottement. De plus, le deuxième feuillet a été coupé longitudinalement en deux par le relieur du terrier : les deux bords ainsi obtenus s'étant usés, il s'ensuivit qu'à chaque vers quelques lettres manquent, lettres que du reste on peut facilement rétablir. — Notre farce met en scène un certain Janot, qui reproche à sa femme Janette de courir les églises pour y voir son amant, au lieu de s'occuper de son ménage. Janette proteste en disant que, si elle est si dévote, ce n'est que pour prier pour le salut de son mari, et pour qu'il devienne un saint. Janot, tout soudain, estime qu'en effet être béatifié serait chose admirable; sa femme l'assure que cela ne dépend que de lui et que, s'il le veut, il peut aller tout droit en paradis. Et voici que survient l'amant de Janette, déguisé en ange ; il persuade Janot, troublé par cette apparition, qu'il vient le chercher

[1] Publiée dans *Trois farces françaises...*, pp. 143-157.

pour le conduire au ciel : et le pauvre homme se laisse enfermer dans un sac que l'ange semble traîner sur une surface très inégale, ce qui fait que le prisonnier trouve le chemin du paradis si long et si rude qu'il en a bientôt assez, et qu'il finit par s'apercevoir qu'il a été joué et trompé. Il sort donc du sac, blanc de farine, et poursuivi par les moqueries et les rires de tous les spectateurs.

Cette pièce aussi n'a rien de particulièrement original, du fait qu'elle met en œuvre deux éléments principaux qu'on retrouve ailleurs. D'abord le thème de l'homme qui se laisse persuader qu'il n'est plus de ce monde, thème qui constitue le fond du fabliau *Du Villain de Balluel* [1], d'une nouvelle de Boccace, *Ferando* [2], et d'un conte de La Fontaine, le *Purgatoire*. Ensuite le thème de l'homme que l'on met dans un sac, thème qui a dû être tout particulièrement vivace, dans la littérature orale surtout — témoin l'expression même « mettre dans le sac » — et qu'on rencontre jusque dans les *Fourberies de Scapin*. Antérieurement, ce même thème a été très fréquemment développé : on a remarqué déjà [3] qu'il existait deux pièces dans les *Farces tabariniques* où se retrouve cette idée, une première dans laquelle Francisquine, femme du débauché Lucas, cache son mari dans un grand sac parce qu'il a peur d'être enlevé par la police, puis une seconde dans laquelle Tabarin fait entrer dans un sac le capitaine Rodomont, à qui il fait croire que de cette façon il pourrait être introduit auprès d'Isabelle [4]. Idée qu'on rencontre ailleurs encore, dans une nouvelle de Straparola par exemple. Mais il est plus intéressant pour nous de constater qu'un récit assez semblable à celui qui sert de base à notre farce a dû être connu dans nos régions aussi, puisqu'on en a des traces, sous une forme probablement altérée, dans un conte de Savièse. C'est l'histoire du curé qui veut voir le paradis, et qui peut se résumer de la façon suivante. Un curé avait une domestique courtisée par un voiturier, mais il ne voulait pas donner son consentement au mariage. Néanmoins, fatigué par l'insistance de l'amoureux, le prêtre lui promet de l'autoriser à épouser la servante,

---

[1] Montaiglon et Raynaud, *Recueil général et complet des fabliaux*, t. IV, p. 212. Sur les sources de ce fabliau, voir J. Bédier, *Les Fabliaux*, 2e éd., Paris, 1911, p. 475.

[2] Sur cette nouvelle et ses sources, voir M. Landau, *Die Quellen des Decamerons*, 2e éd., Stuttgart, 1884, pp. 83 et 155.

[3] *Œuvres de Molière*, t. VIII, Paris, 1893, p. 385 sqq., in *Les grands écrivains de la France*, publ. sous la direction d'Ad. Régnier.

[4] Voir Parfaict, *Histoire du théâtre françois*, t. IV, pp. 324-326, ainsi que les *Œuvres de Tabarin*, in *Bibliothèque gauloise*, Paris, 1858, pp. 259-263 et 264-270.

à la condition qu'il le conduise à ce paradis qu'il désirait visiter. Le voiturier accepte, dit à son passager de faire le mort, le fourre dans un sac qu'il charge sur ses épaules. Il monte alors sur le clocher, gravissant cinq millions (!) de marches : mais le curé, dans son sac, trouve que c'est bien long. Le sac choit et dégringole au bas des escaliers, le voiturier le reprend et le porte à l'écurie et, tandis que le prêtre se dégage, l'amoureux s'enfuit avec la servante et l'épouse [1].

Ce n'est là, je le répète, qu'une version dont la trame primitive a sans doute été très altérée. J'y voudrais voir néanmoins un indice que notre *Farce à cinq personnages* n'est pas nécessairement d'importation française, et qu'elle a pu être composée quelque part dans le Pays de Vaud peut-être, par un auteur du crû sans grande expérience et sans grande culture — la versification de la pièce est très défectueuse, les rimes sont le plus souvent de mauvaise qualité, la langue enfin n'est pas exempte de traces dialectales. Il n'est pas impossible que cet auteur se soit inspiré de la littérature orale, et que les données primitives aient été les suivantes : l'amant de Janette aurait été un prêtre, et le terrain inégal et raboteux sur lequel Janot est traîné pouvait être originairement l'escalier du clocher. Notre farce se rattacherait donc au groupe des pièces, extrêmement fourni, dans lequel le prêtre joue un rôle d'amoureux souvent ridicule et presque toujours scandaleux : on pourrait le rapprocher par exemple du *Meunier de qui le Diable emporte l'âme* [2], qui représente parfaitement le genre.

Si Vevey n'a pas eu avec Anselme Cucuat un auteur comique original, puisqu'il a été davantage un traducteur qu'un créateur, il a été en tout cas un imprésario, collectionneur de textes théâtraux qu'il utilisait sans doute dans les représentations qu'il dirigeait. Car il avait constitué dans sa ville d'adoption une troupe d'amateurs, une « abbaye » comme il la dénomme lui-même, sur le modèle peut-être de l'« Abbaye des nobles enfants » de Lausanne, qui ne paraît pas avoir eu comme but, ainsi que le pense Ruchat, de s'assembler deux fois par an et de faire des exercices militaires [3], mais bien plutôt d'organiser des cortèges masqués, avec accompagnement de chansons satiriques et autres, et sans doute aussi de représentations de pièces comiques.

---

[1] B. Luyet, *Légendes de Savièse*. Deuxième partie, nº 4, in *Archives suisses des traditions populaires*, vol. 25 (1925), pp. 41-42.

[2] E. Fournier, op. cit., pp. 62-171.

[3] A. Ruchat, *Histoire de la Réformation de la Suisse*, t. V, Lausanne, 1836, p. 244.

Quoi qu'il en soit, du reste, la troupe veveysanne dut se produire fréquemment, non seulement dans des farces ou des moralités, mais aussi dans des pièces religieuses, *Jeu des Rois* et *Passion*.

Mais Cucuat a-t-il été, dans le Pays de Vaud, le seul animateur de cette espèce, et n'a-t-il eu, à Vevey ou ailleurs, ni précurseur, ni imitateur, ni disciple ? Cela est presque impossible. Au surplus, ce que nous possédons de son répertoire, et qui nous a été conservé par le plus grand des hasards, n'en représentait sans doute qu'une mince part. On devine, dès lors, tout ce qu'on a perdu.

* * *

L'amour du théâtre, l'intérêt que lui portaient non seulement le public, mais aussi les autorités religieuses en particulier, furent tels que ces spectacles survécurent même à la Réforme. A Nyon en 1547, en effet, on joua une « istroyre » à laquelle assistèrent Mesdames de Divonne et de Menthon, à qui le conseil offrit du vin et des cerises ; le 22 mai 1553, dans la même ville, les acteurs d'une « Ystoyre de Judith et Holoffernex » reçurent trois écus d'or [1]. La même année, le jour de l'Epiphanie, les écoliers de Grandson jouèrent deux « histoyres », et à Lausanne, en 1540, François Guibaud et ses compagnons représentèrent une « false moralisée en la Palud » [2]. Les *Mémoires de Pierrefleur,* on le sait, nous ont aussi conservé les traces de manifestations analogues à Baulmes, à Romainmôtier, à Lignerolle [3] : et il ne serait pas difficile de retrouver, pour les années et les siècles qui suivent, des mentions semblables. Elles nous feraient voir que les représentations théâtrales organisées aujourd'hui encore par des troupes d'amateurs ou d'étudiants, dans nos villes ou nos villages, se rattachent directement à cette vie dramatique dont j'ai tenté de fixer quelques points pour la fin du moyen âge. Là encore, en d'autres termes, nous ne faisons que nous conformer à une tradition, que suivre un chemin battu depuis des générations.

* * *

---

[1] Archives de Nyon, Comptes de la ville, non foliotés.

[2] Archives de la ville de Lausanne, Compte nᵒ D 227, 5ᵉ partie, fᵒ LIII.

[3] L. Junod, *Mémoires de Pierrefleur,* thèse de Lausanne, Lausanne, 1933, pp. 177, 178 et 242. Cf. H. Vuilleumier, *Histoire de l'Eglise réformée du Pays de Vaud,* t. I, Lausanne, 1927, pp. 459, 551 sq.

Qu'il me soit permis, pour quelques instants tout au moins, et
pour ce qui a trait au théâtre médiéval, d'annexer le pays de Fribourg à celui de Vaud. Annexion d'autant plus valable qu'ecclésias-
tiquement — et c'est toujours l'église qu'on retrouve aux origines de
notre théâtre — et linguistiquement, qu'il s'agisse de la langue de
tous les jours ou de la langue littéraire, Fribourg ne faisait que subir
les destinées du Pays de Vaud : nos textes eux-mêmes nous disent
d'ailleurs qu'ici les costumes nécessaires à une représentation avaient
été achetés à Lausanne, et que là ce furent « certains compaignons
de Yverdon » qui réjouirent les badauds de Fribourg en leur donnant la comédie.

Je souhaiterais qu'un chercheur se mît un jour à fouiller les
comptes communaux des petites villes fribourgeoises afin d'y recueillir les renseignements qui s'y trouvent concernant les représentations
théâtrales. Sans doute le P. Deillon a-t-il déjà fourni quelques indications de ce genre. Pour Bulle, par exemple, il ne craint pas de
dire que le théâtre y apparaît dès la fin du XVIe siècle : n'empêche
que ce ne sont que des faits relatifs au XVIIIe qu'il mentionne [1].
Pour Estavayer, il parle d'un *Mystère des Rois* joué en 1553 [2] ; pour
Gruyères, d'un *Mystère des Rois* à la fin du XVe siècle, et d'une
Passion en 1485 [3] ; pour Romont, d'un *Mystère de la Passion* en
1456 et d'un *Mystère des Rois* en 1460 [4]. Mais de nouvelles recherches effectuées méthodiquement auraient toutes les chances d'être
fructueuses.

En ce qui concerne Fribourg, nous sommes un peu mieux renseignés. Le même auteur, en effet, a noté qu'en 1492 on a joué une
pièce intitulée *Le Gladiateur* ; qu'on y trouve des traces de mystères
en 1466 et 1553, et que celui des *Rois* y fut représenté du XVe au
XVIe siècle [5]. Mais c'est à l'historien Albert Büchi surtout que nous
sommes redevables d'une série d'indications tirées des comptes des
trésoriers de la ville, et appartenant toutes au XVe siècle [6]. La plus
ancienne en date est une *Histoire dou maulvais riche* attestée en
1438 ; suivent une *Passion* en 1442, une *Passion* ou *Ystoire de saint*

[1] P. Ap. Deillon, *Dictionnaire historique, statistique des paroisses catholiques
du canton de Fribourg,* vol. I, Fribourg, 1884, p. 267.

[2] P. Ap. Deillon, op. cit., vol. V, Fribourg, 1886, p. 176.

[3] P. Ap. Deillon, op. cit., vol. VII, Fribourg, 1891, pp. 55-59.

[4] P. Ap. Deillon, op. cit., vol. X, Fribourg, 1899, pp. 453-454.

[5] P. Ap. Deillon, op. cit., vol. VI, Fribourg, 1888, pp. 385-396.

[6] A. Büchi, *Literarhistorische Notizen aus den Freiburger Manualen und
Seckelmeisterrechnungen,* in *Freiburger Geschichtsblätter,* vol. XXVIII (1925),
pp. 223, 232.

Georges en 1449, une *Histoire de Joseph* en 1460, des *Passions* représentées en 1458 et en 1466, une *Histoire de saint Jacques* en 1470, une *Passion et Résurrection* en 1480.

Antérieurement à Büchi, j'avais moi-même recueilli dans les comptes des trésoriers les indications relatives au théâtre. Mes fiches risquant fort d'être à jamais inutilisées si je n'en fais état ici, on me permettra de mentionner quelques détails qui ont échappé au savant historien. Les voici par ordre chronologique.

1434,   janvier-juin. « A Berhart Chaucy pour despens des escharwaix [guetteurs, agents de police] de laz ville, quant les Augustiens firent laz Resurrection de Nostre Seignieur sur laz Planche de Saint Jehan, XXIII sols » (Compte des Trésoriers no 63, non folioté).

1443,   juin-noël. « De certains compaignions de Yverdon, a donnar par messeigneurs, lesquels danczarent la murista [morisque, sorte de ballet] et juoent de farces, II. flor. valliant LVIII sols » (Id., no 82).

1453,   juin-noël. « A Domp Couchet... por les matières employez pour le fait des estaires que l'on devait faire, ensi comme estoit ordonné par messeigneurs, ha ensi delivré... XLV livres VII sols » (Id., no 102).

1463,   janvier-juin. « Pour despens fet en chief ledit banderet [Yanni d'Avril, banneret, aubergiste de la Croix-Blanche] par ceulx qui juarent la passion le grand vendredi [vendredi-saint], LXX sols » (Id., no 121).

1464,   juin-noël. « A Briczard, pour une journée de chapuix faicte en la loge que l'on fit devant la chapelle de Nostre Dame, pour le personnage que l'on y juast, III sols VI den. »

Id., ibid.   « Item a Hensly Wibert, pour una journa faicte en la logi devant Nostre Dame a cause du dit personnage » (Id., no 124).

1466,   janvier-juin. « A Marmet Dollive e a sez compagnions pour XXII journees chapuis en la maison de la draperie, enclo II journees faictes ez loges, quant l'on fit la Passion, IIII livres VII sols » (Id., no 127).

Vétilles que tout cela, sans doute, vétilles qui n'ajoutent pas grand-chose à ce que nous savons, puisque la plupart de ces mentions ont trait à des *Passions,* des *Résurrections,* des *Jeux des Rois* que nous retrouvons un peu partout. Et si pour Fribourg nous savons grâce à elles qu'on y a joué aussi des *Histoires de saint Georges,* de *saint Jacques* ou de *Joseph,* ce ne sont là que des preuves supplémentaires de l'intense activité théâtrale dont faisaient preuve au XVe et XVIe siècles toutes nos petites villes, activité dont il ne serait certes pas difficile de rencontrer des traces, et même plus que des traces, à Genève ou à Neuchâtel. Si l'on ne lisait que peu chez nous au moyen âge, si les manuscrits conservés dans nos bibliothèques sont relativement rares, il est permis par contre d'affirmer que l'intérêt pour le théâtre, théâtre religieux avant tout, mais théâtre comique aussi, a été aussi intense que général.

Mais une constatation plus importante s'impose, d'autant plus qu'elle ne se manifeste pas que chez nous. C'est qu'en Avignon comme au Mont-Joux, à Lyon comme à Genève, à Lausanne comme à Fribourg, à Gruyères comme à Yverdon, ce théâtre s'exprimait en français. Ainsi qu'il en sera plus tard dans les chancelleries, le théâtre avait remplacé le latin par le français. Et si dans toutes ces villes la langue de tous les jours était encore le franco-provençal, dans ses expressions locales, chacun savait suffisamment de français pour qu'il pût comprendre, et même prendre plaisir, à des représentations dont les acteurs parlaient français, que ce français fût plus ou moins mâtiné de mots ou de formes locales, peu importe.

Et, chose curieuse, ce n'est que plus tard qu'en Savoie comme chez nous le patois s'introduisit dans le théâtre, mais dans le théâtre comique presque uniquement. Phénomène incontestablement savoyard qui déferla jusque chez nous grâce à d'obscurs propagandistes du genre d'Anselme Cucuat à Vevey. Phénomène que je qualifierais de réaction nationaliste, pour autant qu'un nationalisme à base linguistique pût être une conception de l'époque : mais c'est qu'alors déjà durent exister des ultra-conservateurs qui, pour protester contre l'intrusion du français, ont voulu, en traduisant ou en adaptant des farces françaises dans le patois local, faire participer plus intensément le petit peuple aux plaisirs du théâtre. Phénomène du reste éphémère, puisque quelques années plus tard ce fut la Réforme qui s'imposa, cette Réforme qui eut pour la Suisse romande un résultat linguistique d'une portée énorme — bien qu'il lui ait fallu plus de trois siècles pour toucher jusqu'au dernier des villages de montagne — : celui de nous donner une langue de culture de tout premier ordre, cette langue qu'un Italien, Brunetto Latini, en plein XIIIe siècle, qualifiait comme chacun sait de « delitable parleüre françoise ».

TABLE DES MATIÈRES

ACHEVÉ D'IMPRIMER
EN MAI 1972
SUR LES PRESSES
DE L'IMPRIMERIE
DES ARTS ET MÉTIERS SA,
A LAUSANNE